Guía ilustrada de Medicina China

畫 說 中 醫

Xu Yi-bing

Índice

Título de la edición original:
An Illustrated Guide to Chinese Medicine

Depósito Legal: B. 479-2010

ISBN: 978-84-255-1912-3

Impreso en España - Limpergraf, S. L.
Mogoda, 29-31 (Pol. Ind. Can Salvatella)
08210 Barberà del Vallès

Sobre el autor

Xu Yi-bing nació en el condado de Yihuang, provincia de Jiangxi, en la República Popular China, en 1963. Es profesor de la Universidad de Medicina China de Jiangxi, médico-jefe de MTC, y es considerado con reconocimiento en el ámbito provincial como el más destacado profesor de la provincia de Jiangxi. Es el decano académico en funciones de la Universidad de Medicina China de Jiangxi.

Ha estado involucrado en la enseñanza de la medicina china durante un total de veintidós años de estudio, enseñanza, tratamiento de pacientes y dirección de investigación científica. Tiene un enfoque dinámico y científico para estudiar y enseñar. Ha ejercido como editor o editor jefe de ocho artículos y libros de texto, y ha dirigido cuarenta tesis sobre diversos temas. Al mismo tiempo, ha recibido dos subvenciones provinciales para llevar a cabo investigaciones sobre medicina china.

Ha recibido los galardones del *Primer Premio por Invención Científica y Técnica*, otorgado por el *Departamento de Salud de la Provincia de Jiangxi*, el *Premio al Empleado Modelo*, por su trabajo para promover la divulgación científica, y el título de *Destacado Joven Académico*, por la *Asociación Jiangxi para la Ciencia y la Tecnología*.

Prólogo

Los sabios y diligentes antepasados Chinos inventaron unas ciencias y tecnologías magníficas, que dieron como resultado el avance del progreso humano y del desarrollo social. La medicina china es un magnífico tesoro que ha realizado una enorme contribución al aumento de la prosperidad de la nación china.

¿Le gustaría tener un conocimiento profundo sobre la esencia de la antigua cultura de Asia Oriental?

¿Le gustaría entender el misterio de la mágica medicina china?

Le invitamos a leer esta Guía ilustrada de Medicina China, que le ayudará a viajar a través del espacio y el tiempo, y retornar a la cuna de la civilización. También nos gustaría ofrecer humildemente este libro a todo el mundo.

Prefacio

La medicina china es el resumen de las ricas experiencias del pueblo chino, durante cientos de años de lucha contra enfermedades. Es un componente importante de la cultura tradicional china. La medicina china, bajo la orientación de la antigua filosofía china y la larga historia de la mutua influencia entre la práctica y la teoría médicas, ha formado un único sistema teórico y ha realizado remarcables contribuciones al cuidado de la salud y la prosperidad de la nación china. Ahora, el brillo de la antigua medicina china está resplandeciendo cada vez más y realizando contribuciones al cuidado de la salud de las personas en todo el mundo.

La teoría básica de la medicina china fue establecida hace mucho tiempo y por eso su lenguaje es profundo. A fin de proveer un libro introductorio tanto para estudiantes iniciados como para seguidores de la medicina china en general, explicamos esta profunda teoría básica de la medicina china usando ilustraciones con explicaciones breves y sencillas.

Este libro usa un estilo de lenguaje sencillo, los dibujos son llamativos e interesantes; los autores han realizado todo el esfuerzo para combinar detalles científicos y una lectura fácil de entender, así como para integrar precisión y eficacia.

Este libro es informativo e interesante, y los amantes de la medicina china encontrarán en él un gran beneficio.

Nos gustaría expresar nuestro agradecimiento al Departamento de Educación y Salud de la Provincia de Jiangxi y a la Administración de Medicina China de la Provincia de Jiangxi. Las referencias de este libro son los libros de texto de medicina china publicados en ediciones chinas para estudiantes universitarios de Medicina China, así como los resultados de investigaciones modernas.

Este libro es un nuevo intento de explicar la teoría básica de la medicina china usando ilustraciones. Los autores, traductores y editores lo han hecho lo mejor posible para evitar errores en este texto, pero es difícil eliminarlos por completo. Todas las críticas, correcciones de errores y sugerencias serán agradecidas y consideradas para futuras ediciones.

Los autores
Linchuan, provincia de Jiangxi

Introducción

La medicina china es un magnífico tesoro

Cientos de años de civilización china han sido concentrados en la medicina china. Su amplia, profunda y única teoría, así como su riqueza y variada experiencia clínica, la hacen destacada en el mundo de la medicina.

De acuerdo con los registros históricos, ha habido 10.452 renombrados doctores de medicina china, 96.592 prescripciones y 12.000 tipos de medicamentos.

La medicina china ya se ha extendido por 140 regiones y países. Esta medicina histórica está irradiando con un nuevo esplendor y está realizando nuevas contribuciones al cuidado de la salud de las personas por todo el mundo.

Modelo médico «biología-psicología-sociedad-medio ambiente»

El concepto de que ser humano y naturaleza se corresponden el uno al otro

La medicina china ve el proceso vital y las regulaciones de la prevención y el cuidado de las enfermedades sobre la base de las relaciones entre el ser humano, la naturaleza y la sociedad. Esto enfatiza la influencia de los factores mentales, los constitucionales, así como los sociales y medioambientales, en la aparición, el desarrollo y la prevención de las enfermedades.

El concepto de que el cuerpo y el espíritu se corresponden el uno al otro

La medicina china ve el cuerpo tangible e intangible como un todo combinado. Este concepto argumenta que el cuerpo y el espíritu no pueden existir individualmente, porque el espíritu se oculta dentro del cuerpo de uno y el cuerpo es la manifestación externa del espíritu. La producción mutua y la unificación de cuerpo y mente aseguran la supervivencia humana.

Los cuatro textos clásicos de la medicina china

La profunda cultura de Asia ha dado nacimiento a gran cantidad de clásicos. A continuación, se ofrece una introducción de cuatro de los textos clásicos de la medicina china.

Huáng Dì Nèi Jīng

El *Clásico de medicina interna del Emperador Amarillo* es el más antiguo y el mayor clásico de la medicina china; fue compilado durante el período de Verano-otoño y el de los Estados Combatientes.

Está dividido en dos partes: Preguntas básicas (Sù Wèn) y Pivote milagroso (Líng Shū), cada uno contiene nueve volúmenes y 81 artículos. Los conocimientos de anatomía, fisiología y patología escritos en este texto clásico jugaron un papel destacado en el campo médico de esa época.

El Clásico de medicina interna del Emperador Amarillo marca la formación de la medicina china y el establecimiento inicial de su único sistema teórico. Provee de los fundamentos y los recursos para el posterior desarrollo de la medicina china.

Nàn Jīng

El *Clásico de las dificultades médicas* es otro texto tradicional de la medicina china; surgió en la Dinastía Han Occidental, después de la aparición del *Clásico de medicina interna del Emperador Amarillo*. Se atribuye a Bian Que, un famoso médico chino del pasado.

Fue recopilado con el modelo de formular y responder preguntas. El libro explicaba la constitución del cuerpo, la fisiología, la patogénesis, el diagnóstico, y los métodos y los principios de tratamiento.

Shāng Hán Zá Bìng Lùn

En la última Dinastía Han Oriental, Zhang Zhong-jing escribió *El tratado de las enfermedades febriles y miscelánea de enfermedades*, el cual fue dividido más tarde en dos libros: *El tratado de las enfermedades febriles* (Shāng Hán Lùn), el cual enumera 113 prescripciones; y el llamado *Sinopsis de las prescripciones del gabinete de oro* (Jīn Guì Yào Lüè), el cual contiene 262 prescripciones. Sin contar duplicados, los dos libros contienen 269 prescripciones en total y hacen referencia a 214 tipos de medicinas.

El tratado de las enfermedades febriles y miscelánea de enfermedades es elogiado como «el ancestro de las fórmulas». Representa el desarrollo de la medicina clínica y el establecimiento del tratamiento por la diferenciación de síndromes.

Shén Nóng Běn Căo Jīng (Hierbas de Shen Nong)

El primer libro sobre medicamentos que sigue extendido en China, fue escrito en la dinastía Han por Shen Nong, considerado el padre de la agricultura china. Sus tres volúmenes reúnen 365 medicinas. El libro aplica el fundamento para el desarrollo del sistema teórico de la medicina tradicional china, y tiene algunos de los primeros registros, como que huáng lián (*Rizoma coptidis*) cura la disentería, cháng shān (*Radix dichroae*) alivia la malaria, má huáng (*Herba ephedrae*) sirve para tratar el asma, hăi zăo (*Sargassum*) combate el bocio y los tumores, o que shuĭ yín (*Hydrargyrum*) cura los picores.

La primera de las medicinas del mundo

Históricamente, la medicina china se remonta a la lejana antigüedad. En el largo curso de su desarrollo, hay varios ejemplos brillantes de destacados médicos y farmacólogos.

Hua Tuo

Fue el predecesor de la cirugía. En el siglo II d.C., usó primero Má Fèi Săn como anestesia general a fin de llevar a cabo una cirugía abdominal, el cual es el primer registro de ese tipo de anestesia en el mundo. En las bases del antiguo qi gong chino, Hua Tuo desarrolló los «ejercicios de los cinco animales» los cuales imitan cinco tipos de movimientos de diferentes animales. Este fue el comienzo de los ejercicios médicos chinos.

Ge Hong

Durante la Dinastía Jin, Ge Hong estudió métodos para hacer píldoras, recopiló el Bào Pŭ Zĭ, en el cual escribió detalladas instrucciones del uso de minerales para hacer píldoras y su posología. En ese mismo libro registró los métodos de sublimación y destilación usados para hacer píldoras, los cuales lo convirtieron en el pionero de la química moderna.

Xīn Xīu Běn Cǎo

En 659 d.C., el gobierno de la Dinastía Tang ordenó a los médicos recopilar la Nueva materia médica revisada. Se trata de la primera farmacopea de este tipo regulada por el gobierno en la historia china, y la primera farmacopea estatal promulgada en el mundo.

Xī Yuān Lù

La *Recopilación para lavar las injusticias* (Xī Yuān Lù) fue escrita por Song Ci durante la Dinastía Song (1247 d.C.), y es considerada como un gran logro en el campo de la medicina legal. Fue escrita 350 años antes que el *Libro de la medicina legal*, el primer trabajo de medicina legal en Europa, recopilado por un autor italiano.

El método de inoculación para prevenir la viruela

Sobre el siglo II d.C., el pueblo chino comenzó a usar el método de inoculación para prevenir la viruela, convirtiéndose así en los pioneros en inmunología y en los inventores de la vacunación en el mundo.

Li Shi-zhen

Un famoso antiguo médico y farmacólogo recopiló un famoso libro *El compendio de materia médica* (Běn Cǎo Gān Mù). Este libro consiste en 52 volúmenes con anotaciones sobre 1892 hierbas medicinales, incluyendo 1109 dibujos medicinales y 11.096 prescripciones. El compendio de materia médica tiene el honor de ser el «Mayor trabajo en la medicina oriental de Asia», y tiene un profundo efecto en el ámbito nacional e internacional.

Las características básicas de la teoría de la medicina china

La medicina china tiene un único sistema teórico que se caracteriza por los conceptos de cuerpo holístico, movimiento constante y tratamiento por la diferenciación de síndromes. Estos son tres conceptos fundamentales.

El concepto holístico

El cuerpo es un todo orgánico. En fisiología, todos los tejidos y los órganos están estrechamente relacionados los unos con los otros. En patología, las funciones alteradas de las vísceras pueden reflejarse en la superficie mediante los tejidos y los órganos del cuerpo.

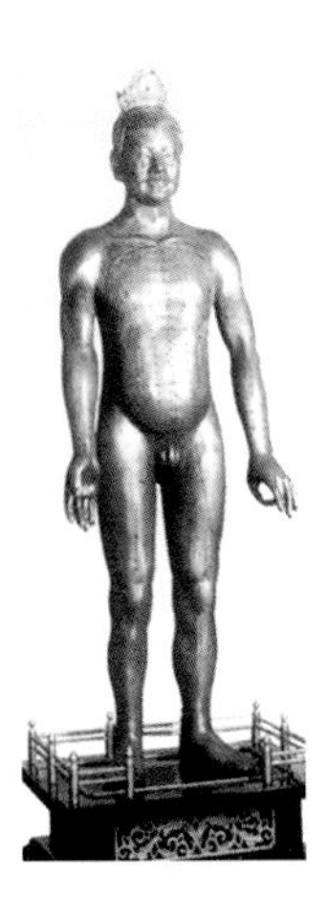

Interrelación del ser humano y el mundo natural. Los seres humanos tienen una estrecha relación con el mundo natural en el que existen las condiciones indispensables para la vida. Como resultado, los cambios del medio ambiente natural afectan al cuerpo humano. Al mismo tiempo, los seres humanos se adaptan bien a esos cambios y también alteran el medio ambiente natural.

Estrecha relación entre los seres humanos y la sociedad. Los factores sociales también tienen una gran influencia en las actividades fisiológicas y los cambios patológicos del cuerpo humano. Una persona vive en sociedad, y puede influenciarla, mientras que los cambios del ambiente social pueden afectar a la persona. Por ejemplo, la estabilidad social o la agitación social, el desarrollo de la economía y la cultura, y los cambios del estado social pueden causar cambios en el cuerpo humano y en el espíritu.

El concepto del movimiento constante

El concepto del movimiento constante significa que cuando se analizan y se estudian problemas médicos, como vida, salud y enfermedad, los puntos de vista de sus movimientos, cambios y desarrollo se toman en consideración. El movimiento constante no solo es la ley básica en la naturaleza, sino también es la característica de la vida humana.

La teoría de la medicina china ve la función fisiológica de la vida humana como el producto de la balanza formada por el movimiento constante y el cambio. Qi, sangre y fluidos corporales son los principales materiales básicos de las funciones fisiológicas, por lo tanto están siempre en un estado de movimiento constante. Las funciones fisiológicas de las cinco vísceras Zang y de las seis entrañas Fu están basadas en el movimiento y en los cambios del organismo. La medicina china hace hincapié en la idea del movimiento constante desde el punto de vista del proceso de la enfermedad y de los cambios patológicos. De acuerdo con la ley del movimiento constante, cuando se tratan y diagnostican enfermedades, los métodos terapéuticos y los medicamentos deben ajustarse a las nuevas condiciones que aparezcan y a los cambios operados en el paciente.

El tratamiento por la diferenciación de síndromes

El tratamiento por la diferenciación de síndromes es un método especial para estudiar y tratar las enfermedades, y es la principal característica del sistema teórico de la medicina china.

La enfermedad significa un proceso patológico integrado, el cual tiene una etiología dada y un mecanismo patológico, unas reglas de desarrollo y un pronóstico, por ejemplo, un resfriado, asma...

El síntoma significa tanto síntomas como signos físicos. Los síntomas se refieren a la manifestación clínica de la enfermedad, la cual es percibida por los pacientes de forma subjetiva, como fiebre, tos o dolor de cabeza. El síntoma que puede ser detectado objetivamente se denomina signo físico, como una tez amarillenta, ojos rojos, lengua morada, pulso rápido, etcétera.

Un síndrome, o complejo de síntomas, se refiere a la generalización patológica de un grupo de síntomas relacionados estrechamente en un momento dado durante el desarrollo de una enfermedad. Ello puede mostrar la etiología, la localización, la naturaleza de la enfermedad y la relación entre el qi defensivo y el qi perverso. Esto puede reflejar la naturaleza de los cambios patológicos en cierto momento del desarrollo de la afección.

La diferenciación de síndromes trata de distinguir entre los diferentes síndromes, y el tratamiento se basa en curar las enfermedades.

La diferenciación de síndromes es tanto un requisito previo, como la base del tratamiento, mientras que el tratamiento es el objetivo de la diferenciación de síndromes. El tratamiento es la prueba de si la diferenciación de síndromes ha sido correcta o no.

La individualización del diagnóstico y el tratamiento es una característica de la terapia por la diferenciación de síndromes. Esto incluye tanto los enfoques de los distintos tratamientos para la misma enfermedad, y que diferentes enfermedades puedan ser tratadas por el mismo principio terapéutico. Tratar la base de la diferenciación de síndromes es adoptar diferentes métodos de resolución de problemas en respuesta a distintas cualidades durante el transcurso de la enfermedad.

Diferentes tratamientos para la misma enfermedad: cuando se trata la misma enfermedad, debido a que la constitución del paciente, el clima, la estación, la localización geográfica y la fase de la enfermedad son diferentes, va a dar lugar a que se manifiesten con diferentes síndromes, es por ello que se usan distintos métodos terapéuticos.

Del mismo modo, diferentes enfermedades pueden ser tratadas con el mismo principio terapéutico, puesto que diferentes enfermedades pueden mostrar síndromes con las mismas características, por lo que pueden adoptar el mismo principio terapéutico.

Capítulo 1

La teoría del yin y el yang y la de los cinco elementos

La teoría del yin y el yang

El concepto y las características del yin y el yang

Yin y yang es una teoría filosófica antigua que explica las leyes del movimiento y el cambio. Puede explicar la aparición, el desarrollo y los cambios de todo en el universo.

Dibujo del yin y el yang (Tai Ji)

Oposición	resistencia mutua control mutuo incremento y disminución mutuo	Unidad	interacción y actividad dependencia mutua contención mutua transformación mutua

La relación entre yin y yang

Yin y Yang fueron originariamente parte de la antigua filosofía china. Su significado original se relacionaba según el concepto de si un lugar estaba expuesto al sol o no. El lugar expuesto al sol es yang, indicando calor y luminosidad, y su lado opuesto es yin, indicando frío y oscuridad. Así pues, frío y calor, oscuridad y luminosidad fueron usados para distinguir yin de yang.

Propiedad yin y yang de las cosas

Yin y Yang representan las propiedades de dos aspectos opuestos, los cuales están interrelacionados. Por ejemplo, el agua pertenece al yin, mientras que el fuego pertenece al yang; los hombres pertenecen al yang mientras que las mujeres pertenecen al yin. Hablando de forma general, las cosas o los fenómenos que son dinámicos, crecientes, activos, cálidos, calientes, y brillantes, etcétera, pertenecen a la categoría yang, mientras que aquellos que son estáticos, descendentes, negativos, fríos, sombrío, etcétera, pertenecen a la del yin.

La relatividad de la propiedad yin-yang fue entonces usada en el campo médico. Así, para el cuerpo humano, los materiales y las funciones que son activos, calientes y excitantes pertenecen a la categoría yang, mientras que aquellos que son condensantes, hidratantes y depresivos pertenecen a la de yin.

La clasificación de las cosas y los fenómenos de acuerdo a la propiedad de yin y yang

	Dirección	Tiempo	Temperatura	Humedad	Estación
Yang	Arriba y hacia fuera	Día	Cálido y caliente	Seco	Primavera y verano
Yin	Abajo y hacia dentro	Noche	Fresco y frío	Húmedo	Otoño e invierno

	Peso	Luminosidad	Tipo de movimiento	
Yang	Ligero	Luminoso	Movimiento ascendente	Activo
Yin	Pesado	Oscuro	Movimiento descendente	Pasivo

La teoría básica del yin y el yang

La teoría del yin y el yang abarca sus cinco aspectos: oposición y control; dependencia mutua; interacción y contención mutuas; incremento, disminución y su equilibrio; y transformación mutua.

Oposición y control entre yin y yang

La oposición entre yin y yang se manifiesta principalmente en su control y resistencia mutuos. Por ejemplo, el agua controla el fuego, y el fuego controla el agua.

La oposición entre yin y yang es visible a lo largo de la vida humana, promoviendo el desarrollo y el cambio de todo en el universo.

Dependencia mutua entre yin y yang

Yin y yang dependen el uno del otro, y cada uno necesita al otro para existir. Sin el yin, no hay yang, y sin yang no hay yin. No pueden ser separados.

Interacción y contención mutuas entre yin y yang

La interacción mutua es un proceso continuo que consiste en que el yin qi y el yang qi se encuentran y conectan el uno con el otro. La interacción mutua entre yin y yang reúne dos objetos o fuerzas opuestas en una. Como resultado de esta unión, nace el universo con todos los seres vivos y el hombre.

La contención mutua entre yin y yang se refiere a que cualquier aspecto opuesto de yin y yang contiene al otro. Por ejemplo, yin contiene yang y yang contiene yin.

Incremento y disminución entre yin y yang; siempre en equilibrio

Yin y yang mantienen un balance dinámico relativo a cada uno durante el proceso de aumento y disminución.

Debido a que sus movimientos son absolutos y constantes, la inmovilidad es solo relativa; el movimiento de ascenso y descenso es absoluto, y el de inmovilidad es relativo. Así, yin y yang mantienen un equilibrio relativo, y la inmovilidad relativa depende del absoluto aumento y disminución.

El proceso de aumento y disminución de yin y yang significa que sus cantidades relativas están cambiando.

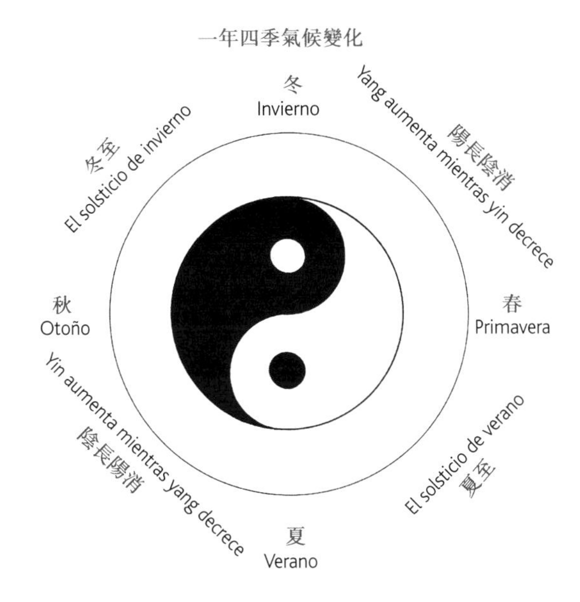

Transformación mutua entre yin y yang

Bajo ciertas condiciones, yin y yang se transforman en sus aspectos opuestos. Yin se transforma en yang, y yang se transforma en yin. Cuando la cantidad de yin o yang alcanza su máximo, se transformará en el opuesto.

Yin y yang se transforman a sí mismos según alcanzan el estado de abundancia. Por ejemplo, el *Pivote divino* (Líng Shū) dice: «El yin extremo se transformará en yang y el yang extremo se transformará en yin», y el *Clásico de medicina interna del Emperador Amarillo* (Huáng Dì Nèi Jīng) dice: «El frío extremo da lugar a calor, y el calor extremo da lugar a frío».

La transformación mutua entre yin y yang es el cambio cualitativo basado en los cambios cuantitativos del aumento y la disminución del yin y yang.

Explicación de los tejidos y la estructura del cuerpo humano

El cuerpo humano es visto como un organismo holístico de unidad y de opuestos. La estructura del cuerpo puede ser dividida en dos opuestos respectivos de yin y yang, los cuales están estrechamente relacionados el uno con el otro e interactúan.

La clasificación de los tejidos y las estructuras del cuerpo humano de acuerdo a las propiedades yin y yang

	Localización	Vísceras y tejidos del cuerpo humano
Yang	Regiones superiores, exterior, espalda, cara externa de las extremidades	Las seis entrañas Fu, colaterales, qi, piel y pelo
Yin	Regiones inferiores, interior, abdomen, cara interna de las extremidades	Cinco vísceras Zang, meridianos, sangre, tendones y huesos

Explicación de la función fisiológica del cuerpo humano

Las actividades de la vida normal del cuerpo humano están basadas en los dos aspectos opuestos de yin y yang, los cuales dependen, se restringen y se soportan el uno al otro. Yin está calmado cuando yang está tranquilo, por lo tanto el equilibrio se ha alcanzado. Si el yin qi y el yang qi no pueden soportarse el uno al otro y están separados, la vida llega a su fin.

La clasificación de la función fisiológica del cuerpo humano de acuerdo a las propiedades yin y yang

	Movimiento fisiológico	Movimientos del qi y sus patrones
Yang	Agitación, calentamiento y funciones activas	Ascendente, exteriorización
Yin	Restringido, descendente, humidificación y problemas de nutrición	Descendente, interiorización

Explicación de los cambios patológicos del cuerpo humano

La teoría del yin y el yang de la medicina china explica los cambios patológicos del cuerpo humano. Las actividades normales del organismo resultan del mantenimiento de la coordinación y la unidad entre los opuestos yin y yang. La patología y las enfermedades surgen cuando yin y yang pierden este equilibrio. Por eso, el desequilibrio entre yin y yang es la base de la enfermedad. No importa lo complejos que sean los cambios patológicos, no son más que el resultado del relativo predominio o la debilidad de yin y yang.

Aplicación en el diagnóstico clínico

Yin y yang son usados para clasificar la compleja y constante evolución de los signos y los síntomas. En la clínica, los cuatro métodos de diagnóstico (observación, escuchar y oler, interrogación, y palpación) son usados para recoger información sobre la enfermedad. La diferenciación de síndromes trata de distinguir las propiedades yin y yang de los signos y los síntomas. Por ejemplo, una tez brillante y reluciente indica yang, mientras que una tez oscura y sombría indica yin. Una voz fuerte y clara es yang, mientras que una voz baja es yin. Los pulsos flotantes, grandes, resbaladizos y rápidos pertenecen a yang, pero los pulsos profundos, pequeños, rugosos y lentos pertenecen a yin. En la clínica de la diferenciación de síndromes, incluso síndromes muy complejos son analizados y resumidos en solo dos categorías, esto es, síndromes yin o yang. Una vez la naturaleza de la enfermedad es entendida, resolver un problema complejo es fácil.

La clasificación de los síntomas y los signos físicos de acuerdo a las propiedades yin y yang

	Observación		Oler y escuchar		Tomar el pulso		
	Color	Brillo	Voz	Respiración	Localización	Ritmo	Tipo
Yang	Rojo y amarillo	Brillante	Alta y fuerte	Voz alta y respiración ronca	Cun	Rápido	Flotante, largo, resbaladizo
Yin	Verde, negro y blanco	Oscuro	Baja y débil	Voz baja y respiración débil	Chi	Lento	Profundo, pequeño, filiforme, rugoso

La clasificación del síndrome de las enfermedades de acuerdo a las propiedades yin y yang

	Exterior e interior	Frío y calor	Deficiencia y exceso
Síndrome yang	Síndrome exterior	Síndrome de calor	Síndrome de exceso
Síndrome yin	Síndrome interior	Síndrome de frío	Síndrome de deficiencia

Uso de la teoría del yin y el yang para guiar la prevención y el tratamiento de las enfermedades

Debido a que las enfermedades surgen de un desequilibrio de yin y yang, el principio terapéutico básico en medicina china es regular y restaurar este equilibrio.

La clasificación de las hierbas naturales de acuerdo a las propiedades yin y yang

	Cuatro naturalezas	Cinco sabores	Direcciones y acciones
Yang	Caliente y tibio	Picante, dulce	Ascendente, flotante
Yin	Frío y templado	Agrio, amargo, salado	Descendente, hundimiento

La aplicación clínica de las hierbas está basada en las propiedades yin y yang de las hierbas; dependiendo del predominio o la debilidad de yin y yang, las hierbas apropiadas pueden reparar este desequilibrio. Las cuatro naturalezas de las hierbas están divididas como calientes y tibias, las cuales pertenecen al yang; y frías y frescas, las cuales pertenecen al yin. Las hierbas frías y frescas como shí gāo (*Gypsum fibrosum*) y huáng lián (*Coptidis rizoma*) pueden dispersar el calor y drenar el fuego, mientras que las hierbas calientes y tibias como fù zǐ (*Radix aconiti, Laterales praeparata*) y ròu guì (*Cortex cinnamomi*) pueden dispersar el frío, calentar y tonificar. Los cinco sabores son agrio, amargo y salado, que pertenecen al yin, y dulce y picante, que pertenecen al yang.

La teoría de las cinco fases

Las cinco fases: madera, fuego, tierra, metal y agua son categorías de cualidad y relación. Están en un continuo ciclo de apoyo y restricción mutuos, y se corresponden con las leyes del universo.

Cinco fases: concepto, características y clasificación

El concepto de las cinco fases

Las cinco fases de madera, fuego, tierra, metal y agua son elementos de movimiento y cambio. La teoría de las cinco fases sostiene que el universo está construido a partir de cinco sustancias básicas. El antiguo pueblo chino usaba la teoría de las cinco fases en el campo médico para explicar la fisiología y la patología del cuerpo humano. La correlación entre el cuerpo humano y el medio ambiente externo puede guiar tanto en el diagnóstico clínico como en la prevención y el tratamiento de las enfermedades.

Las características de las cinco fases

Después de mucha observación, el antiguo pueblo chino formó gradualmente el concepto básico de las cinco fases. Cada fase tiene sus respectivas características, por ejemplo, la madera representa el crecimiento, el florecimiento, la flexibilidad y la extensión; el fuego tiene las características de calor y fuego ascendente; la tierra representa el cultivo; el metal tiene las características del cambio, la astringencia y la restricción; y el agua tiene las características de hidratación y descenso.

Asignación de las cosas de acuerdo a las cinco fases

El antiguo pueblo chino clasificaba todos los fenómenos de la naturaleza, así como las vísceras, las entrañas, los tejidos, la fisiología y la patología del cuerpo humano, según las cinco fases –madera, fuego, tierra, metal y agua–, de acuerdo a la idea de atribuir las cosas a fenómenos similares. La teoría de las cinco fases toma como principio guía el concepto de que el ser humano y la naturaleza se corresponden el uno al otro. Las cinco fases están en su centro, y su estructura básica es las cinco direcciones, las cinco estaciones y las cinco vísceras Zang del cuerpo humano. La teoría de las cinco fases combina fenómenos del cuerpo humano con aspectos de la naturale-

za; el sistema de las cinco fases combina las relaciones internas y externas del cuerpo humano para explicar el organismo y su unidad con el medio natural.

La atribución de la propiedad de las cinco fases

Naturaleza	Cinco sonidos	Jiǎo	Zhǐ	Gɘng	Shang	Yǔ
	Cinco sabores	Agrio	Amargo	Dulce	Picante	Salado
	Cinco colores	Verde	Rojo	Amarillo	Blanco	Negro
	Cinco transformaciones	Germinación	Crecimiento	Transformación	Cosecha	Almacenamiento
	Cinco agentes climáticos	Viento	Calor de verano	Humedad	Sequedad	Frío
	Cinco orientaciones	Este	Sur	Centro	Oeste	Norte
	Cinco divisiones anuales	Primavera	Verano	Fin verano	Otoño	Invierno
Las cinco fases		Madera	Fuego	Tierra	Metal	Agua
El cuerpo humano	Cinco vísceras Zang	Hígado	Corazón	Bazo	Pulmón	Riñón
	Cinco vísceras Fu	Vesícula biliar	Intestino delgado	Estómago	Intestino grueso	Vejiga urinaria
	Cinco órganos de los sentidos	Ojos	Lengua	Boca	Nariz	Oreja
	Cinco materiales del cuerpo	Tendones	Vasos sanguíneos	Músculos	Piel	Huesos
	Cinco emociones	Ira	Alegría	Reflexión	Pena	Miedo
	Cinco fluidos	Lágrimas	Sudor	Saliva	Descarga nasal	Orina, fluidos sexuales
	Cinco pulsos	Tenso	Amplio	Moderado	Flotante	Profundo

El contenido básico de la teoría de las cinco fases

El contenido básico de la teoría de las cinco fases incluye los conceptos de generación, control, explotación y oposición.

La generación

Se refiere a la función de producción, promoción y asistencia entre una fase y otra. Por ejemplo, la madera se puede quemar, por lo que genera el fuego. La madera quemada se convierte en cenizas, por lo tanto el fuego genera la tierra. El metal puede ser encontrado en el suelo, por lo que la tierra genera el metal. El metal se funde a altas temperaturas, por lo que el metal genera el agua. La madera necesita el agua, por lo que el agua genera la madera.

El control

Se refiere a las funciones de control e inhibición entre una fase y otra. La madera crece del suelo, por lo que la madera controla la tierra. El agua apaga el fuego, por lo que el agua controla el fuego. Las herramientas de metal derriban árboles, por lo que el metal controla la madera. El metal puede ser fundido por el fuego, por lo que el fuego controla el metal. El suelo bloquea el agua, así que la tierra controla el agua.

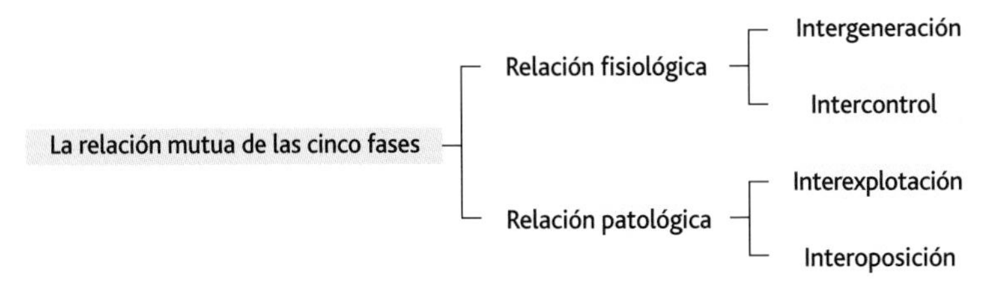

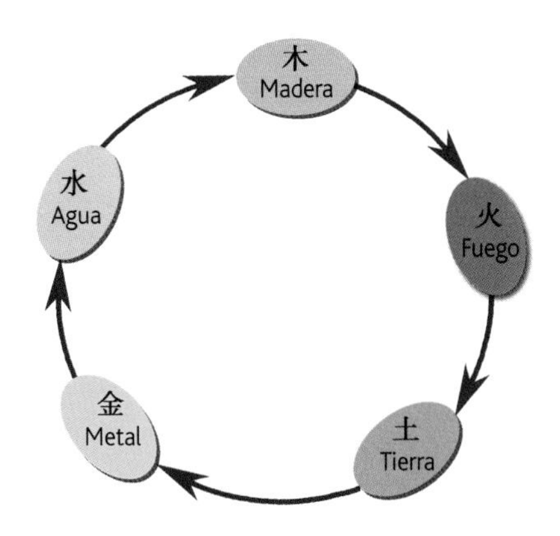

五行相生示意
Diagrama de la relación de generación entre las cinco fases
表示相生 (→ Generación)

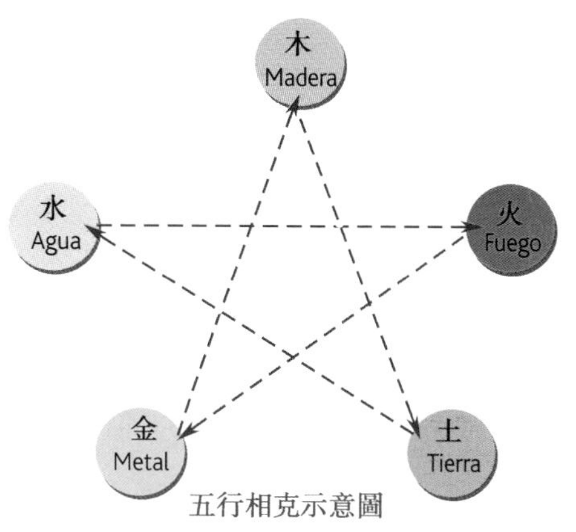

五行相克示意圖
Diagrama de la relación de control entre las cinco fases
表示相克 (→ Control)

Dentro de la relación de generación y control, cada una de las fases tiene cuatro situaciones: generación, ser generado, controlar y ser controlado. Por ejemplo, la madera es generada por el agua y puede generar el fuego. Mientras que, es controlada por el metal y a su vez puede controlar la tierra.

La explotación

Significa que una fase controla excesivamente a otra. La secuencia de subyugación entre las cinco fases es la misma que en la de control; por ejemplo, la madera puede explotar a la tierra, la tierra puede explotar al agua, el agua puede explotar al fuego, el fuego puede explotar al metal y el metal puede explotar a la madera. Sin embargo, el control es una relación bajo condiciones nor-

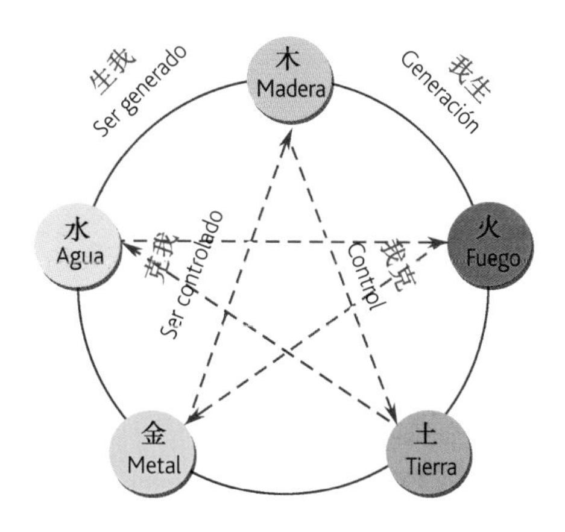

五行生克示意圖
Diagrama de la relación de control entre las cinco fases
表示相生 (→ Generación) 表示相克 (→ Control)

males, mientras que la relación de explotación no es un fenómeno normal. En el cuerpo humano, el control es un fenómeno fisiológico y la explotación es un fenómeno patológico.

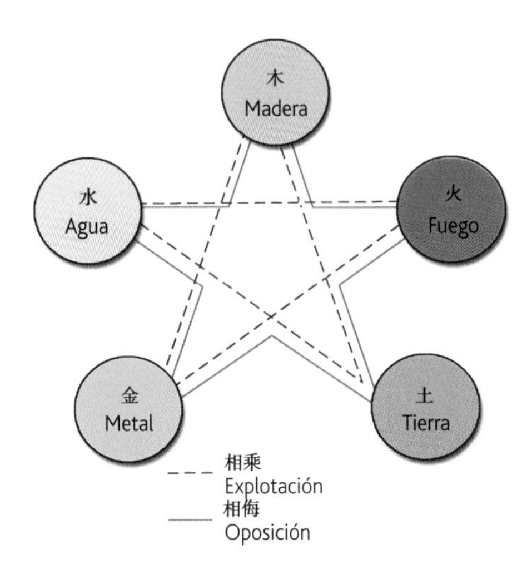

La oposición

Significa rebelarse contra las otras fases. Cuando una de las cinco fases está en exceso, la fase que debería controlarla en principio, es ahora controlada por ella. De ahí el nombre de oposición.

La aplicación de la teoría de las cinco fases en la medicina china

Funciones fisiológicas de las cinco vísceras

La teoría de las cinco fases atribuye vísceras y tejidos respectivamente a cada una de las cinco fases, y explica las funciones fisiológicas de las cinco vísceras en concordancia con las caracte-

rísticas de las cinco fases; además de realizar la conexión fisiológica entre vísceras y entrañas de acuerdo a las leyes de generación y la restricción de las cinco fases. Por ejemplo, el transporte y la dispersión del hígado (madera), que regula las actividades emocionales, restringe el fortalecimiento del bazo (tierra) o la regulación de la función digestiva.

Influencias patológicas entre las cinco vísceras

De acuerdo con la teoría de las cinco fases (generación, control, explotación y oposición), la medicina china enfatiza la influencia interna entre las cinco vísceras durante el estado fisiológico. Las enfermedades principales de una víscera pueden ser transferidas a otra víscera, y viceversa. La transformación de la enfermedad puede ser dividida en dos patrones: transformación de la relación de generación, y transformación de la relación de control. La transformación relativa a la relación de generación incluye «la enfermedad de la madre afecta al hijo» y «la enfermedad del hijo afecta a la madre». La transformación relativa a la relación de control incluye dos patrones de explotación y oposición. Por ejemplo, una enfermedad crónica del hígado puede dañar a la nutrición del yin de riñón, e incrementar el dolor y la debilidad de la región lumbar.

Uso del diagnóstico de las enfermedades

Cuando el cuerpo humano está desequilibrado, las vísceras internas y sus íntimas relaciones son reflejadas en sus correspondientes aspectos del color facial, el tono de voz, las sensaciones gustativas y las condiciones del pulso. Las cinco vísceras Zang, las seis entrañas Fu, los cinco colores, los cinco sabores y las cinco emociones, todos pertenecen a las cinco fases. Clínicamente, toda la información obtenida de los cuatro métodos de diagnóstico (observar, oler y escuchar, interrogar, y tomar el pulso y palpar) es clasificada según las propiedades de las cinco fases y los

principios de generación, control, explotación y oposición para determinar el desequilibrio de las cinco vísceras Zang y para entender el desarrollo de las enfermedades.

Uso del tratamiento de las enfermedades

Las manifestaciones clínicas coinciden con las propiedades de las cinco fases. Por ejemplo, una tez verde-azulada y un gusto agrio en la boca indican un desequilibrio de hígado. Los principios de generación y control de las cinco fases controlan la transformación de las enfermedades. Por ejemplo, si el hígado está desequilibrado, el fortalecimiento del bazo y el estómago prevendrá que la enfermedad se transfiera al bazo. Muchos métodos de tratamiento usan los principios de generación y control de las cinco fases. Por ejemplo, reforzar la tierra para generar metal, tonificar el agua para nutrir la madera, y reforzar la tierra para controlar la madera. El tratamiento de las emociones y la terapia de la acupuntura están basados en la teoría de las cinco fases. Por ejemplo, los puntos de acupuntura son seleccionados conforme a los principios de generación, control, explotación y oposición.

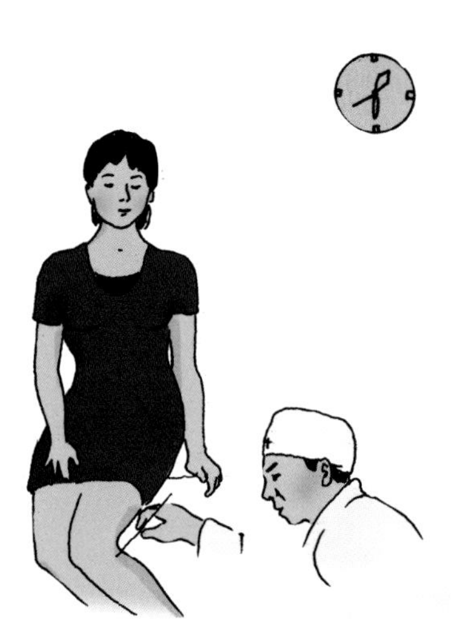

En el campo médico, la teoría del yin y el yang y la de las cinco fases son usadas juntas, y son los conceptos más básicos en la teoría médica china. Debemos estudiar más profundamente y desarrollar la teoría básica de la medicina china de acuerdo con la ciencia moderna y la tecnología.

Fuwa, las mascotas oficiales de los Juegos Olímpicos de Beijing, fueron diseñadas de acuerdo a las cinco fases.

Capítulo 2

Manifestación de los Zang-Fu (Zàng Xiàng)

Introducción a la teoría de la manifestación de los Zang-Fu

La teoría de la manifestación de los Zang-Fu es el estudio de los órganos Zang-Fu y la estructura de los orificios, las funciones fisiológicas, los cambios patológicos y las relaciones con la esencia, el qi, los fluidos corporales y el espíritu. También trata las relaciones entre los propios órganos, entre los órganos Zang-Fu y el medio ambiente natural. Este es el núcleo de la teoría de la medicina china.

El concepto de la manifestación de los Zang-Fu

El término «Zang» se refiere a los órganos Zang-Fu, los cuales están localizados en el interior del cuerpo. «Xiàng» significa la manifestación externa de su fisiología y patología. La medicina china tiene un único método para observar, estudiar y explicar las actividades fisiológicas y patológicas de los órganos Zang-Fu de acuerdo a sus manifestaciones externas.

El contenido de la teoría de la manifestación de los Zang-Fu

El núcleo de la teoría de la manifestación de los órganos Zang-Fu está en los órganos internos del cuerpo. Los órganos Zang-Fu están formados por cinco órganos Zang, seis órganos Fu y los órganos extraordinarios. Los cinco órganos Zang son el corazón, el pulmón, el bazo, el hígado y el riñón. Los seis órganos Fu son la vesícula biliar, el estómago, el intestino delgado, el intestino grueso, la vejiga y San Jiao. Los órganos extraordinarios son el cerebro, la médula, los huesos, los vasos sanguíneos, la vesícula biliar y el útero.

Las características de la teoría de la manifestación de los Zang-Fu

La teoría de la manifestación de los Zang-Fu está basada sobre todo en la idea de que los síntomas externos pueden reflejar la condición del medio interno. Una de las características de la teoría de la manifestación de los órganos Zang-Fu sitúa a los cinco órganos Zang en el centro de esta perspectiva holística. Esto se manifiesta principalmente en las siguientes ideas:

- Los órganos Zang y los órganos Fu son una entidad total. Por ejemplo, el riñón y la vejiga forman una relación exterior-interior.

- Los cinco órganos Zang están conectados con los órganos de los sentidos y los orificios, formando un todo integrado. Por ejemplo, el riñón se manifiesta en el pelo y se abre a través de las orejas y de los dos orificios inferiores (genitales y ano).

Otra característica de la teoría de la manifestación de los órganos Zang-Fu es que los órganos Zang y los órganos Fu son considerados no solo como un concepto anatómico, sino también una unidad integrada de funciones.

En la medicina occidental, los conceptos de los órganos internos están basados solo en sus aspectos anatómicos, sin embargo, en la medicina china los órganos Zang-Fu son un sistema de las funciones del cuerpo humano, cuya idea evolucionó sobre las bases de las teorías de la antigua anatomía.

Por ejemplo, el bazo en la medicina occidental es el órgano bazo o, a saber, una glándula linfática; por el contrario, en medicina china indica la función de todo el sistema digestivo.

Los cinco órganos Zang

Los cinco órganos Zang son el corazón, el pulmón, el bazo, el hígado y el riñón. Tienen sólidas estructuras y están localizados en el pecho y en la cavidad abdominal.

Las funciones fisiológicas de los cinco órganos Zang son la transformación, la generación y el almacenamiento de las sustancias esenciales, como la esencia, el qi, la sangre y los fluidos corporales.

El corazón

Las funciones fisiológicas principales del corazón son controlar la sangre y los vasos sanguíneos, y almacenar el espíritu.

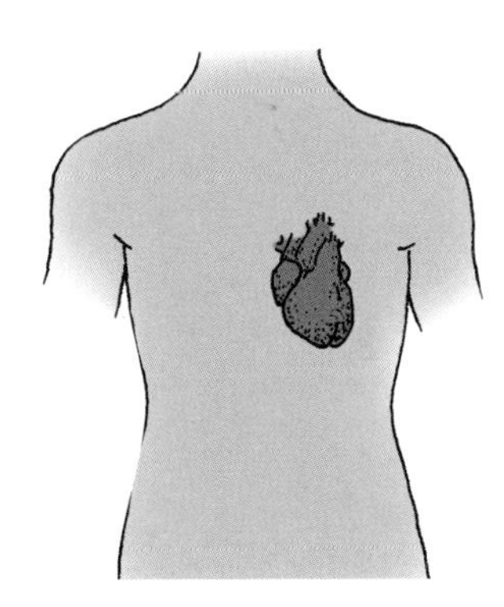

La localización del corazón

El corazón está localizado en el pecho, y rodeado por el pericardio. Controla las actividades vitales del cuerpo humano, y es el más importante de los órganos Zang-Fu.

La metáfora del corazón

El clásico de medicina interna del Emperador Amarillo (Huáng Dì Nèi Jīng) dice: El Corazón es «el monarca de todos los órganos», «el controlador de los cinco órganos Zang y de los seis órganos Fu». El corazón es considerado la residencia del espíritu, el maestro de la sangre y el gobernador de los vasos sanguíneos.

Las funciones fisiológicas del corazón

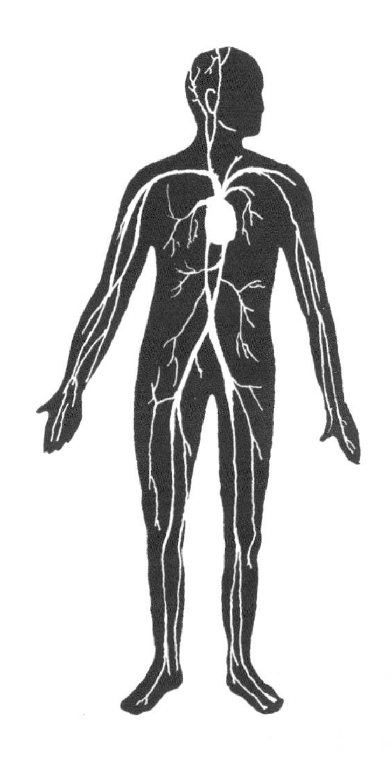

• Controlar los vasos sanguíneos. La función del corazón es hacer circular la sangre por todo el cuerpo. Para que la sangre circule normalmente, el corazón necesita suficiente qi, sangre y que los vasos sanguíneos estén abiertos.

La medicina tradicional china (MTC) considera que cuando la función de que «el corazón domina los vasos sanguíneos» se realiza normalmente puede manifestarse por cuatro aspectos: la cara, el color de la lengua, el tipo de pulso y la palpación del pecho. Si la sangre del corazón florece, la cara será lustrosa e hidratada, suave y flexible, y el pulso que late será suave y con fuerza.

• Almacenar el espíritu. El corazón controla las actividades espirituales, la conciencia y el pensamiento. Aunque esas actividades son las reacciones del cerebro al medio externo, la teoría de la manifestación de los órganos Zang sostiene que el corazón controla la mente. Esto se determina por las características de la teoría de la manifestación de los órganos Zang. La característica de la teoría de los órganos Zang-Fu tiene un punto de vista holístico, el cual argumenta que los cinco órganos Zang son la pieza clave de todos los órganos del cuerpo. Por tanto, las funciones del cerebro también son atribuibles a los cinco órganos Zang.

La relación entre las funciones fisiológicas del corazón

• El corazón y el intestino delgado conectan el uno con el otro, y forman una relación interior-exterior debido a la interconexión de sus meridianos. Por tanto, las enfermedades del corazón y del intestino delgado se afectan mutuamente.

• Los conceptos de que el corazón controla la mente y que el corazón controla los vasos sanguíneos están estrechamente relacionadas, ya que la sangre es la base para las actividades mentales y emocionales. Si la función del corazón de controlar los vasos sanguíneos es normal, la sangre puede nutrir al corazón y a la mente, y por lo tanto el estado mental será normal.

• El corazón se manifiesta en la cara. Su función de controlar los vasos sanguíneos puede manifestarse en la tez, el color de la lengua, el tipo de pulso y por notar una sensación de tensión en el área del pecho. Si la función de gobernar la sangre es normal, la tez ha de ser rosada y nutrida, el pecho se ha de sentir bien, la lengua tiene que ser ligeramente roja y húmeda, y el pulso ha de ser moderado y con fuerza.

• El sudor es el fluido del corazón; es transformado a partir de los fluidos del cuerpo, los cuales son también una parte importante de la sangre. Como el corazón controla la sangre, la transpiración y la sangre comparten el mismo origen.

• El corazón se abre en la lengua, la cual controla la habilidad para distinguir sabores y para hablar. Si la función del corazón es normal, la textura de la lengua será roja y húmeda. Una insuficiencia de la sangre de corazón o insuficiencia de qi de corazón se manifestará en una textura pálida de la lengua, mientras que una estasis de sangre de corazón provocará una textura de la lengua morada o con petequias.

• En la teoría de las cinco fases, la alegría es la emoción del corazón. Si una persona está de buen humor, el qi y la sangre fluirán libremente. En general, la alegría funciona como una emoción normal que es beneficiosa para la salud, aunque una alegría excesiva puede dañar a la mente.

El hígado

La función principal del hígado es mantener libres las vías de paso y almacenar la sangre.

La localización del hígado

El hígado está localizado en la zona del hipocondrio derecho. Su meridiano y vasos están distribuidos a ambos lados de las costillas.

La metáfora del hígado

El clásico de medicina interna del Emperador Amarillo (Huáng Dì Nèi Jīng) dice: «El hígado es un general que gobierna la contracción y la relajación de los músculos y los tendones». Las funciones fisiológicas del hígado son gobernar, ascender y dispersar, y le gusta mantener libres las vías de paso.

• Controlar la dispersión

La función fisiológica principal del hígado es regular las actividades del qi. Por ejemplo, una falta de coordinación de las siete emociones llevará a un estancamiento del qi del hígado, un ascenso patológico del qi del hígado, u otros cambios patológicos.

En segundo lugar, regula las emociones; un fallo del hígado para mantener libres las vías de paso puede causar un estancamiento del qi del Hígado y manifestarse como mal humor. Una hiperactividad del hígado en la función de mantener libres las vías de paso causa hiperactividad del qi del hígado, con síntomas como impaciencia, irritabilidad y agitación.

En tercer lugar, promueve la digestión y la absorción. El fallo del hígado para mantener libres las vías de paso puede causar que el bazo falle en su función de elevar el qi puro, lo que se manifestará con mareos y vértigo; y al hacer descender el qi puro puede incluso resultar en diarrea. Además, el qi de estómago asciende pudiendo dar hipo; si el qi turbio falla en su descenso, puede causar dolor abdominal y estreñimiento. El fallo del hígado en las funciones de conducir y dispersar, afecta a la secreción de bilis de la vesícula biliar, y se manifiesta con dolor en las costillas laterales –el área entre la axila y la costilla inferior–, un gusto ácido en la boca, e incluso ictericia.

• Almacenar la sangre

El hígado almacena la sangre y regula el volumen de sangre que circula. Por ello, es conocido como «el mar de sangre».

La relación entre las funciones fisiológicas del hígado

• El hígado y la vesícula biliar están conectados el uno con el otro. Físicamente, la vesícula biliar está unida al hígado, y se hallan conectados por canales y colaterales que mantienen la relación exterior-interior. Por tanto, las enfermedades del hígado y de la vesícula biliar pueden afectarse mutuamente.

- El hígado controla los tendones, y se manifiesta en las uñas. Los tendones y las uñas dependen para su nutrición de la sangre del hígado.

- En la teoría de las cinco fases, la ira es la emoción del hígado. La ira repentina o frecuente, llamada ira excesiva, puede dañar al hígado.

- El hígado se abre a través de los ojos, y las lágrimas son el fluido en el que se manifiestan. Una vista normal depende de que el qi del hígado sea conducido y suministrado, y de una alimentación por la sangre de hígado. La insuficiencia de sangre de hígado se manifiesta en ojos secos, ceguera nocturna o visión borrosa. El ascenso de fuego hepático puede causar dolor, rojez e inflamación.

El bazo

Las funciones principales del bazo son el control del transporte y la transformación, elevar el qi puro, y controlar la sangre.

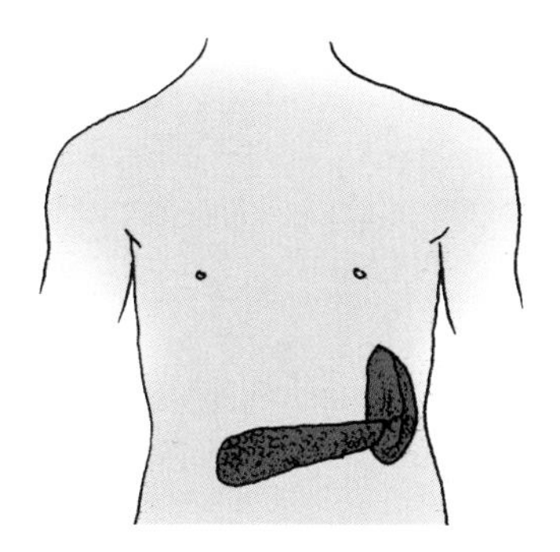

La localización del bazo

El bazo se localiza debajo del diafragma.

La metáfora del bazo

El clásico de medicina interna del Emperador Amarillo (Huáng Dì Nèi Jīng) dice: «El bazo es el oficial del granero». El bazo se considera que es «la raíz de la constitución adquirida» y la «fuente de qi y sangre».

En la teoría de la manifestación de los Zang-Fu, el bazo es un órgano que incluye tanto el páncreas como el bazo, aunque las funciones fisiológicas del bazo en medicina china son bastante diferentes a aquellas funciones del páncreas y del bazo según la teoría de la medicina moderna.

Las funciones fisiológicas del bazo

• Controlar el transporte y la transformación

Esta función tiene dos aspectos:

En primer lugar se trata del transporte y la transformación del agua y de la comida. Después el estómago descompone la comida y la bebida, que más tarde es digerida por el bazo, que absorbe los alimentos (la esencia refinada de la comida y del agua) de la alimentación, y lo eleva al pulmón, donde es distribuido por todo el cuerpo, para nutrir e hidratar todos los tejidos. Por tanto, solo cuando las funciones del bazo son normales, la fuente de transporte y transformación es abundante, y el cuerpo entero estará lleno del qi esencial.

En segundo lugar, es el transporte y la transformación de líquidos y secreciones; el bazo envía los fluidos corporales al pulmón, donde son separados en puros y turbios. Internamente, los fluidos alimenticios puros nutren a los cinco órganos Zang y a los seis órganos Fu, y externamente, hidratan la piel y el vello corporal. Los fluidos turbios son transformados en sudor y orina, y son excretados del cuerpo. El fallo del bazo en el transporte y la transformación de fluidos puede dar lugar a edema, y a la retención de flema y líquidos.

• Controlar la sangre

La función del bazo es controlar la circulación de la sangre a través de los vasos sanguíneos y mantenerla dentro de los vasos, previniendo así su extravasación. De hecho, es el qi del bazo en particular el que mantiene la sangre en los vasos. El fallo de esta función se manifiesta en varios tipos de alteraciones hemorrágicas.

• Controlar el ascenso del qi en general y del qi puro en particular

El qi del bazo se caracteriza por su función ascendente, y al mismo tiempo mantiene los órganos en su lugar. El fallo del bazo en aumentar el nivel del qi puede dar lugar a distensión abdominal y diarrea. Si el qi del bazo desciende, puede dar lugar a diarrea crónica, prolapso del ano o incluso prolapso de órganos internos.

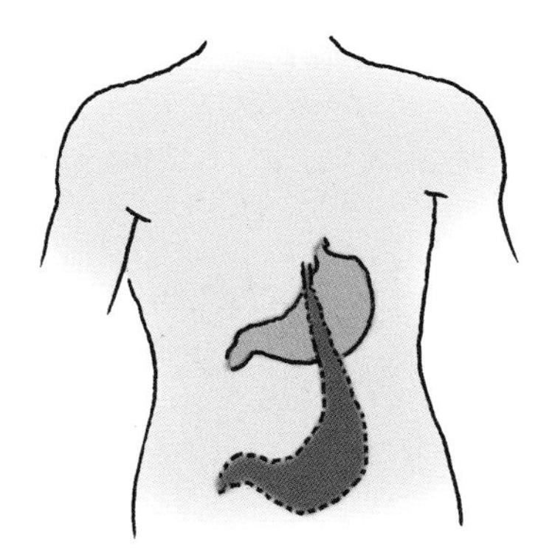

La relación entre las funciones fisiológicas del bazo

- El bazo y el estómago se conectan el uno con el otro. El bazo y el estómago están localizados en el Jiao Medio y están unidos por meridianos y colaterales, formando una relación exterior-interior. Así, las enfermedades del bazo y del estómago pueden afectarse mutuamente.

- El bazo se abre en la boca, y se manifiesta en los labios. Si el qi del bazo es normal en ambas acciones de transporte y transformación, entonces la esencia de la comida y del agua se repartirán por todo el cuerpo, y se manifestará en músculos fuertes que pueden moverse con facilidad, un buen apetito, un sentido normal del gusto y en labios hidratados y rosados.

- El bazo controla los músculos y las cuatro extremidades. Si las funciones del qi del bazo son normales, las cuatro extremidades y los músculos estarán bien nutridos y fuertes. Si las funciones del qi del bazo están débiles, los músculos sufrirán de falta de nutrición, lo que se manifestarán en lasitud, debilidad muscular o incluso atrofia.

- En la teoría de las cinco fases, la reflexión es la emoción del bazo. Darle muchas vueltas a las cosas o no ser capaz de ver las cosas claras puede afectar al movimiento del qi, causando su estancamiento y una fácil obstrucción de la función de transporte y transformación del bazo y el estómago, dando digestiones y funciones de absorción alteradas, lo que se manifiesta en pérdida de apetito, distensión y plenitud en la parte superior del abdomen.

- El fluido del bazo es la saliva, la cual es poco densa por naturaleza, y formada por el yin del bazo. El fallo en la función de contención del bazo puede manifestarse en sialorrea (salivación excesiva). Una deficiencia del qi del bazo y estómago puede resultar en xerostomia (disminución de la salivación).

El pulmón

Las principales funciones del pulmón son gobernar el qi y la respiración, mover los líquidos y controlar todos los meridianos y los vasos sanguíneos.

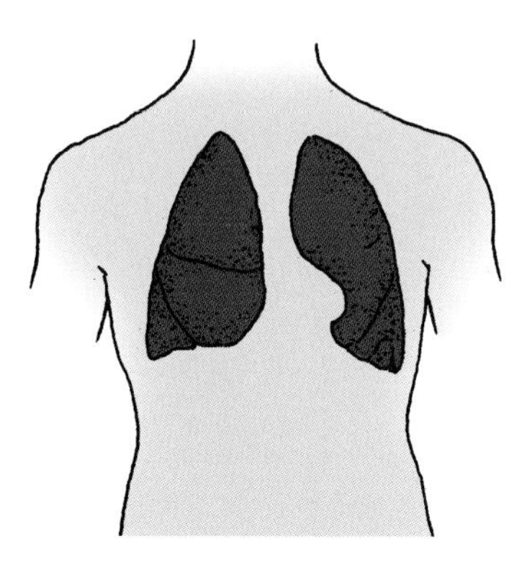

La localización del pulmón

El pulmón está localizado en el tórax. Entre los cinco órganos Zang y los seis órganos Fu, el pulmón está localizado en el punto más alto, y es conocido como la Cubierta Frondosa.

La metáfora del pulmón

Tanto el pulmón como el corazón están localizados en el tórax. La localización del pulmón es cercana al monarca (el corazón), y su papel es similar al de un primer ministro. *El clásico de medicina interna del Emperador Amarillo* (Huáng Dì Nèi Jīng) dice que el pulmón es «el primero que es responsable de coordinar las funciones». Como el pulmón es el órgano que está más elevado y el más exterior, puede ser fácilmente atacado por el qi perverso, por tanto se dice que el pulmón es un órgano delicado.

Las funciones fisiológicas del pulmón

- Gobernar el qi. Esta función tiene dos aspectos: en primer lugar, controla el qi de la respiración. El pulmón inhala oxígeno de la naturaleza y exhala dióxido de carbono (aire turbio), a fin de mantener normal el proceso metabólico del cuerpo. La generación de qi, el movimiento del qi y la sangre, y la distribución de fluidos líquidos dependen de la respiración pulmonar. Si la respiración pulmonar no funciona bien, pueden surgir varios tipos de enfermedades.

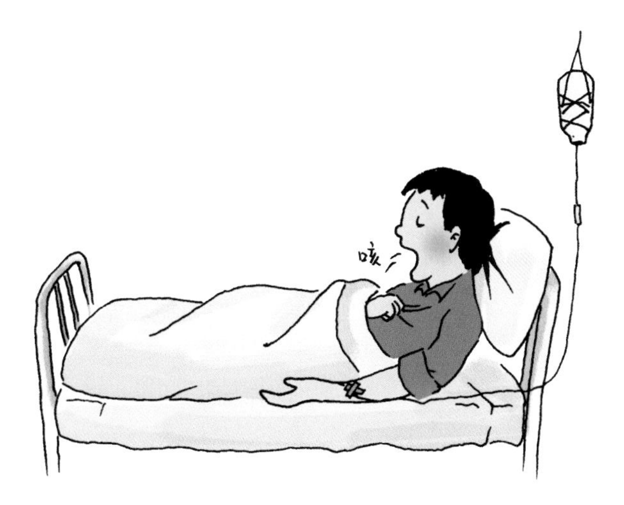

En segundo lugar, controla el qi de todo el cuerpo, lo que significa que la función del pulmón es distribuir el qi a todos los órganos Zang-Fu, meridianos y colaterales. Si la función de respiración del pulmón se pierde, la vida se acabará.

- Regular las vías de agua. Tiene la función de drenar y regular la circulación y la excreción de los fluidos del cuerpo. El pulmón distribuye los fluidos del cuerpo a través de los músculos y la piel, y los transforma en transpiración. Como tiene una función descendente y purificante, los fluidos descienden al riñón, donde son transformados en orina. Si el pulmón falla en su función, los fluidos serán acumulados, dando lugar a flema, retención de líquidos y edema.

- Controlar la circulación de todos los vasos. La sangre de todos los órganos del cuerpo y los tejidos pasan a través de los canales y vuelven a los pulmones para el intercambio gaseoso, entonces se redistribuye de nuevo como sangre oxigenada por el cuerpo a través de los canales. La circulación sanguínea depende de la función de distribución y regulación del qi del pulmón.

La relación entre las funciones fisiológicas del pulmón

- El pulmón y el intestino grueso se conectan el uno con el otro, y forman una relación exterior-interior debida a la interconexión de sus meridianos. Por tanto, las enfermedades del pulmón y del intestino grueso pueden afectarse mutuamente.

- El pulmón se relaciona con la piel y su qi florece en el vello corporal, el cual incluye las glándulas sudoríparas. Así, el pulmón sirve de barrera contra el ataque de patógenos externos. El qi defensivo y los fluidos corporales, que son transportados por el pulmón, calientan y nutren la piel y el vello corporal. Si el qi del pulmón es deficiente, no podrá difundir los fluidos ni el qi defensivo. Esto puede dar lugar a un vello corporal y una piel marchita y seca, y a un qi defensivo inseguro. Bajo esas condiciones, los patógenos externos pueden afectar con facilidad al cuerpo.

- El pulmón se abre en la nariz. La función olfatoria de la nariz depende de su habilidad para difundir el qi. Si el qi del pulmón se difunde de manera adecuada, la respiración será calmada, los pasajes nasales se abrirán, y el sentido del olfato será agudo. Si el pulmón falla en su función de difusión y purificación, entontes podrá dar lugar a una nariz congestionada, respiración alterada y falta de sentido del olfato.

- En la teoría de las cinco fases, la pena es la emoción del pulmón. Mientras que la pena es una respuesta emocional normal, en exceso es nocivo y puede fácilmente dispersar y consumir el qi de pulmón. Además, la deficiencia de qi del pulmón puede dar lugar a la pena y a un espíritu pobre.

- El fluido nasal del pulmón es la mucosidad. Si el frío perverso ataca el pulmón, se manifiesta con mucosidad nasal clara. Si el calor congestiona el pulmón, aparecerá una mucosidad nasal amarilla y turbia. Si la sequedad perversa ataca el pulmón, puede dar lugar a una nariz dolorosa y seca.

El riñón

Las principales funciones del riñón son almacenar la esencia, gobernar el agua y captar el qi.

Localización del riñón

El riñón está localizado en las extremidades, a ambos lados de la columna vertebral, y su forma se parece a la de las judías negras. *El clásico de medicina interna del Emperador Amarillo* (Huáng Dì Nèi Jīng) establece que «el lumbus es la casa del riñón».

La metáfora del riñón

El riñón almacena la esencia congénita, gobierna la reproducción, y es fuente de vida. Por lo tanto, el riñón es la raíz de la constitución adquirida. Alberga el yin y el yang verdadero, por lo que es llamado el órgano de agua y de fuego. El riñón puede mantener, promover y armonizar el yin y el yang de todos los órganos Zang-Fu, por lo que se dice que es la raíz del yin, del yang y de los órganos.

Funciones fisiológicas del riñón

• Almacenar la esencia, y gobernar el crecimiento, el desarrollo y la reproducción

La esencia almacenada por el riñón incluye la esencia congénita y la adquirida. La esencia congénita es una esencia reproductiva heredada de los padres. El origen de la esencia adquirida es la comida y la bebida que entran en el cuerpo y son absorbidas. La esencia reproductiva del riñón es una sustancia original del embrión, es decir, del esperma y el óvulo. La esencia del riñón puede ser transformada en qi de riñón, que es distribuido a través de San Jiao por todo el cuerpo. Promueve el crecimiento, el desarrollo y la reproducción, así como regula el metabolismo del cuerpo y las funciones fisiológicas. Nacimiento, juventud, madurez, envejecimiento y muerte son procesos del qi esencial del riñón, que va cambiando gradualmente de los estados de abundancia a disminución y, finalmente, a desaparición.

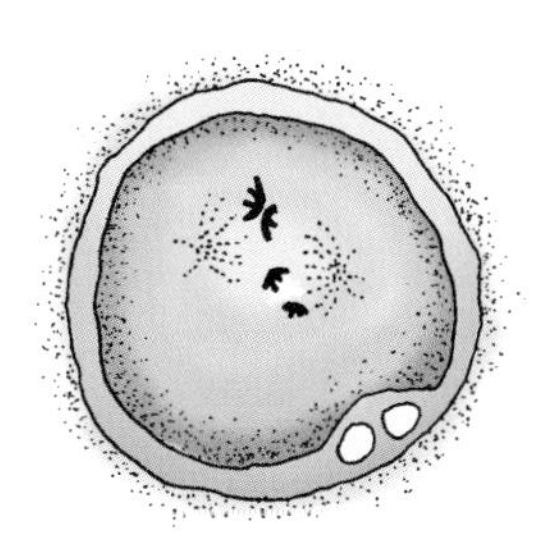

女子　生腎氣的節律

El estado del qi del riñón durante la vida de una mujer

七歲

A los siete años de edad

腎氣盛　更換牙齒

El qi del riñón es próspero y los dientes de leche son reemplazados por los dientes definitivos.

十四歲

A los catorce años de edad

天癸至　　月经來潮

El Tiangui aparece y la menstruación comienza.

十　歲

A los veintiún años de edad

腎氣平均　　直牙生而長極

El qi del riñón está regulado y los dientes son fuertes.

十八歲

A los veintiocho años de edad

筋骨堅　　發長極　　身體盛壯

Los huesos son fuertes, el pelo es brillante y el cuerpo humano es saludable.

十五歲

A los treinta y cinco años de edad

陽明脉衰　面始焦　發始在墮

El meridiano de Yangming declina, la tez es pálida, y se empieza a perder pelo.

四十　歲

A los cuarenta y dos años de edad

陽脉衰于上　面皆焦　發始白

Las tres venas yang superiores disminuyen, la tez es pálida y el cabello es gris.

四十九歲

A los cuarenta y nueve años de edad

天癸竭　月经斷绝

El Tiangui y la menstruación finalizan.

男子一生腎氣的節律

El estado del qi del riñón durante la vida de un hombre

八歲

A los ocho años de edad

腎氣實　發長齒更

El qi del riñón es sólido, el pelo crece largo y rápido, y los dientes de leche son reemplazados por los dientes definitivos.

十八歲

A los dieciséis años de edad

腎氣盛　天癸至　精氣溢

El qi del riñón es próspero, el Tiangui aparece y el qi esencial del riñón se vierte.

十四歲

A los veinticuatro años de edad

腎氣平均　筋骨勁强

El qi del riñón está regulado y los huesos son fuertes.

十　歲

A los treinta y dos años de edad

筋骨隆盛　肌肉滿壯

Los huesos y los músculos son extremadamente fuertes.

四十歳

A los cuarenta años de edad

頭發始脱　　腎氣衰　　發墮齒槁

El pelo empieza a perderse, el qi del riñón disminuye y los dientes se pierden.

四十八歳

A los cuarenta y ocho años de edad

陽氣衰竭于上　　面焦　　發鬢斑白

El yang-qi superior disminuye, la tez es pálida y el cabello es gris.

五十八歳

A los cincuenta y seis años de edad

肝腎衰　　筋弱精少

Las funciones del hígado y del riñón disminuyen.

八十四歳

A los sesenta y cuatro años de edad

腎精衰少　　齒脱發落

La esencia del riñón disminuye, los dientes y el pelo se pierden.

• Gobernar el agua y regular su equilibrio

El riñón convierte el agua y otros productos metabólicos de los órganos Zang-Fu en orina, y entonces la elimina.

• Gobernar la captación del qi

Esta función del riñón es captar el aire inhalado por el pulmón y regular la respiración. El aire inhalado por el pulmón debe descender al riñón para ser absorbido y recibido, dando así una respiración suave y uniforme.

La relación entre las funciones fisiológicas del riñón

• El riñón y la vejiga se conectan el uno con el otro, y forman una relación exterior-interior gracias a las interconexiones de sus meridianos. Por lo tanto, las enfermedades del riñón y de la vejiga pueden afectarse mutuamente.

• En la teoría de las cinco fases, el miedo es la emoción del riñón. Un exceso de miedo crónico o repentino puede dar lugar a un qi del riñón débil, al consumo de esencia y a un riñón dañado.

• El riñón gobierna los huesos. La esencia del riñón puede promover el crecimiento del esqueleto y el desarrollo, e influenciar el llenado y desarrollo de la médula ósea, la médula espinal y el cerebro.

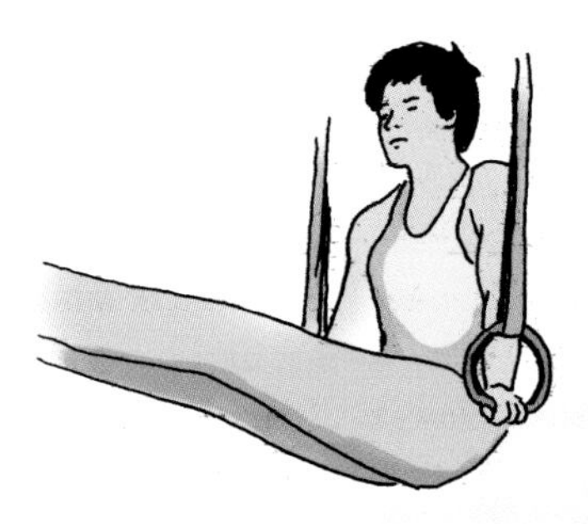

- El riñón se abre en las orejas, y en el yin delantero y trasero (los dos yin son los orificios genital y anal). La insuficiencia de la esencia del qi del riñón puede dar lugar a tinnitus y a disminución de la audición. La descarga urinaria y las heces dependen del qi del riñón. Los dos yin incluyen el anterior y el posterior. El yin anterior incluye la uretra y los genitales, cuya función es descargar la orina y la reproducción. El yin posterior es el ano, el cual descarga las heces.

La principal función de los dos yin, relacionada con el riñón, es la descarga de la orina y de las heces. Aunque el almacenamiento y la descarga de la orina están controlados por la vejiga, la formación de la orina y la descarga recaen en la función del qi del riñón para transportar, proteger y contener. Si el qi del riñón falla en esas funciones, puede dar lugar a orina frecuente o enuresis.

Aunque la función de descargar las heces está gobernada por el intestino grueso, también requiere de la función de seguridad y contención del qi del riñón. Una insuficiencia del qi del riñón puede causar deficiencia del qi, que puede dar lugar a estreñimiento. Una debilidad del qi del riñón puede causar diarrea crónica y prolapso rectal.

El yin anterior está en los genitales externos. Sus funciones reproductivas dependen del qi del riñón. La esencia renal y la deficiencia de qi pueden causar una desarrollo alterado de los genitales y una disminución de la capacidad reproductiva. En los hombres, esto puede dar lugar a impotencia, emisión seminal, eyaculación precoz y emisión nocturna. En las mujeres, puede provocar una disminución de la libido, un ciclo menstrual irregular e infertilidad.

El riñón florece en el pelo

El incremento y la disminución del qi esencial del riñón se reflejan en el crecimiento, la pérdida, el brillo y la sequedad del cabello. También depende de la nutrición sanguínea, y por eso se denomina el excedente de la sangre. Si la esencia del qi del riñón disminuye, el pelo se volverá blanco y seco, y se caerá.

El fluido del riñón es la saliva. La saliva es un fluido espeso que puede humedecer la cavidad oral, enriquecer y nutrir la esencia del riñón.

Los seis órganos Fu

Los seis órganos Fu son la vesícula biliar, el estómago, el intestino delgado, el intestino grueso, la vejiga y San Jiao. Sus funciones fisiológicas son digerir y transformar las sustancias.

La vesícula biliar

La vesícula biliar es un órgano a modo de saco hueco, localizado bajo el lóbulo derecho del hígado. Sus funciones son almacenar y excretar la bilis.

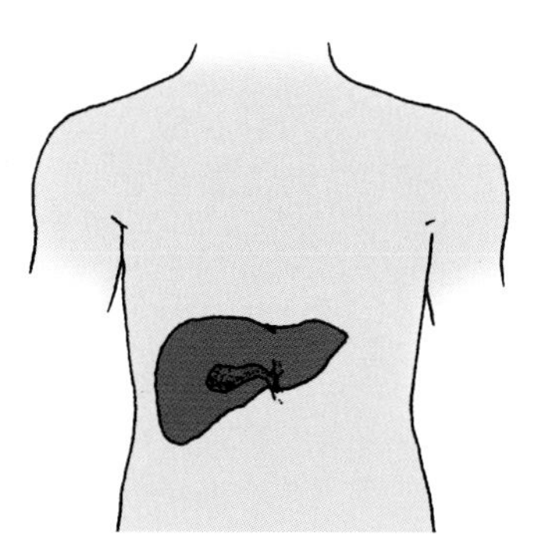

La bilis de la vesícula biliar se forma en el hígado. La bilis es de sabor amargo, tiene color amarillo-verdoso y se almacena en la vesícula biliar. Pasa a través de los conductos de la vesícula biliar al intestino delgado, donde favorece la digestión.

Si el hígado falla en su función de mantener libres las vías de paso, la secreción y excreción de la bilis será obstruida, lo que dará lugar a pérdida del apetito, aversión a la comida grasa y aceitosa, distensión abdominal y diarrea. La bilis de la vesícula biliar asciende entonces a contracorriente, lo que causará sabor amargo en la boca y vómitos de fluidos amarillo-verdosos y amargos. Si la humedad y el calor se acumulan en el hígado y en la vesícula biliar, la bilis fluirá hacia el exterior del cuerpo, dando lugar a ictericia.

La vesícula biliar es uno de los seis órganos Fu, sin embargo, almacena la bilis refinada y no recibe agua, ni comida, ni residuos, por tanto difiere de los otros cinco órganos Fu, y pertenece a los órganos extraordinarios.

La vesícula biliar gobierna la toma de decisiones. Que las personas sean valientes o cobardes tiene mucho que ver con la fuerza o la debilidad de su qi de la vesícula biliar.

El estómago

El estómago está localizado bajo el diafragma. Su parte superior, el cardias, se conecta con el esófago, y su parte inferior, el píloro, está conectada con el intestino delgado. Otro nombre habitual para el estómago es epigastrio. Las principales funciones del estómago son recibir y descomponer la comida y la bebida.

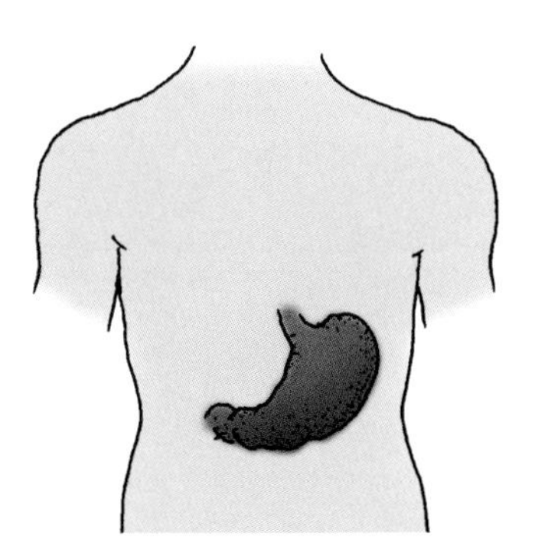

El estómago recibe y contiene la comida y la bebida. La descomposición es una primera etapa de la digestión, formándose quimo (una masa semifluida espesa de parte de la comida digerida que pasa del estómago al duodeno). Así, al estómago se le llama el «gran granero» y el «mar del grano y el agua».

El estómago gobierna el descenso, y cuando está en equilibrio su qi descenderá. Que el estómago descienda la materia turbia es una condición previa para recibir la comida. Si el qi del estómago falla en su descenso, dará lugar a un flujo ascendente que se puede observar como eructos fétidos, regurgitación ácida, náuseas, vómitos o hipo.

El intestino delgado

La parte superior del intestino delgado se conecta con el estómago, mientras que la parte inferior está conectada con el intestino grueso. La función fisiológica del intestino delgado es sepa-

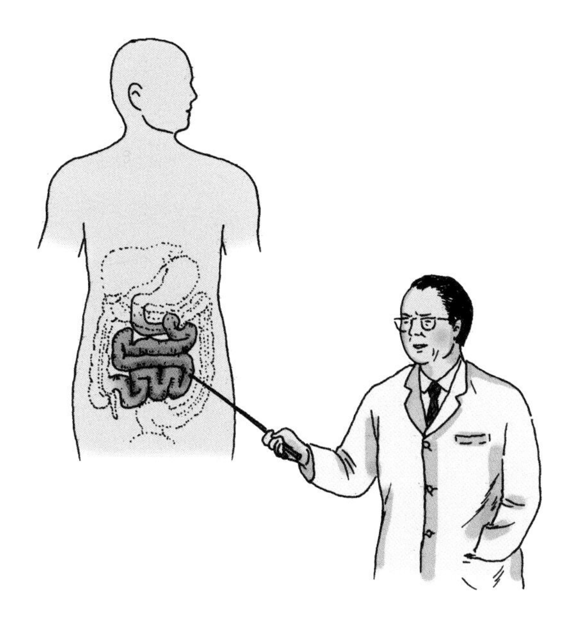

rar lo puro de lo turbio. El intestino delgado, además, digiere el quimo que había descendido del estómago al absorber lo puro (qi) y descender lo turbio (qi) al intestino grueso. Si el intestino delgado falla en separar lo puro de lo turbio, puede provocar la pérdida de heces y una orina escasa.

El intestino grueso

El intestino grueso está localizado en el abdomen, y su extremo superior se conecta con la válvula ileocecal y con el intestino delgado, mientras la parte inferior finaliza en el ano.

Las funciones fisiológicas del intestino grueso son transformar los residuos y absorber los fluidos. El intestino grueso recibe los residuos de la comida y la bebida del intestino delgado. Absorbe los fluidos y forma las heces, que posteriormente descienden y salen a través del ano. Si el intestino grueso falla en esas funciones, pueden aparecer borborigmos, diarrea y estreñimiento.

La vejiga urinaria

La vejiga urinaria está localizada en la parte inferior del abdomen. Su extremo superior se conecta con el riñón por el uréter, mientras su extremo inferior lo hace con la uretra, que se abre a los genitales.

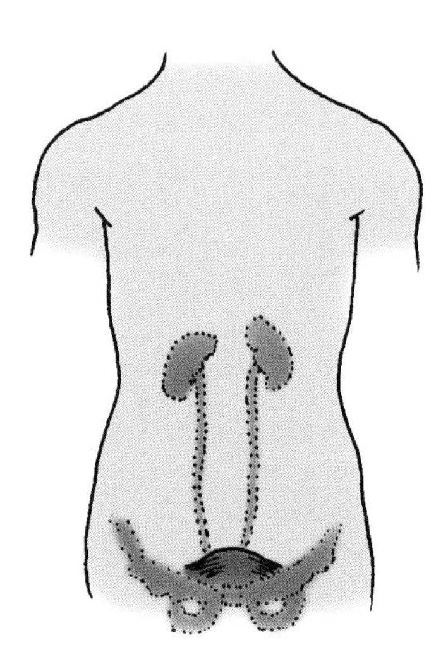

Las funciones fisiológicas de la vejiga son el almacenamiento y la descarga urinaria. Durante el proceso del metabolismo del agua, el qi del riñón transforma los fluidos líquidos en orina, que desciende a la vejiga para descargar.

Las funciones de la vejiga de almacenamiento y descarga urinaria dependen de la función de transformación del qi del riñón. Si esta función falla, puede dar lugar a orina escasa y dificultosa. El fallo de la vejiga para retener la orina puede resultar en orina frecuente e incontinencia urinaria.

San Jiao

El San Jiao es uno de los seis órganos Fu, y es un concepto excepcional. El Jiao Superior está localizado del diafragma hacia arriba; el Jiao Medio está entre el diafragma y el ombligo; y el Jiao Inferior está por debajo del ombligo.

Una de las funciones fisiológicas de San Jiao es distribuir el qi original. El qi original está enraizado en el riñón, y es transportado por el San Jiao a los cinco órganos Zang y a los seis órganos Fu. Esto estimula las actividades de los órganos y los tejidos.

La segunda función fisiológica del San Jiao es servir de pasaje para la comida y los fluidos. La absorción y la distribución, el transporte y la transformación, así como la excreción de comida, en especial de los fluidos, son funciones realizadas a través del pasaje de San Jiao.

El Jiao Superior es como una neblina. La esencia refinada y el qi puro del pulmón se distribuyen por todo el cuerpo a través del latir del corazón y del intercambio del qi del pulmón, a fin de calentar y alimentar los órganos Zang-Fu, meridianos y colaterales. Esto explica el dicho de que el Jiao Superior gobierna la difusión.

El Jiao Medio es como una cámara de maceración. Las funciones del bazo y del estómago están relacionadas con las acciones de recibir y descomponer la comida y la bebida, transformar y transportar la esencia refinada, y transformar el qi en sangre. Así, se dice que el Jiao Medio gobierna la transformación.

El Jiao Inferior es un desagüe. Los residuos separados de la comida y del agua salen del cuerpo como heces, y está relacionado con las funciones del riñón, de la vejiga y del intestino grueso. Así, se dice que el Jiao Inferior gobierna la excreción.

Órganos extraordinarios

Los órganos extraordinarios incluyen el cerebro, la médula, los huesos, los vasos sanguíneos, la vesícula biliar y el útero. Sus estructuras están vacías, de forma parecida a los órganos Fu. Sin embargo, su principal función es almacenar el qi esencial, en lo que difieren de los órganos Fu y, sin embargo, se parecen a los órganos Zang.

El cerebro

El cerebro es uno de los órganos extraordinarios. Está localizado dentro del cráneo y se origina por la médula espinal, así se dice que el cerebro es el mar de la médula espinal. El antiguo pueblo chino valoraba las funciones del cerebro, al que llamaban la causa de la mente original y de la

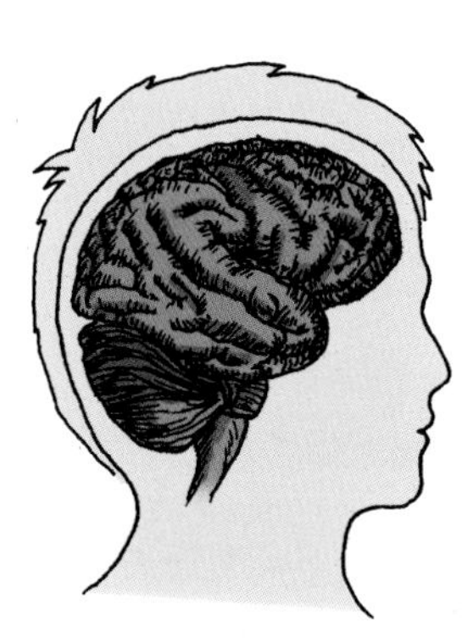

inteligencia. Desde que los cinco órganos Zang son el centro de la teoría de la manifestación de los Zang-Fu, las funciones del cerebro corresponden respectivamente con los cinco órganos Zang. El corazón almacena la mente; el pulmón acumula el alma corpórea; el hígado acoge el alma etérea; el bazo almacena el pensamiento; y el riñón acumula la voluntad.

Las funciones fisiológicas del cerebro son gobernar el pensamiento, las percepciones sensoriales recibidas y el control del movimiento.

La médula

La médula es una sustancia espesa, que incluye la médula ósea, la médula espinal y el cerebro.

Las funciones fisiológicas de la médula son nutrir al cerebro y a los huesos, y generar sangre.

La médula ósea, la médula espinal y el cerebro son generados por el qi esencial del riñón. Por tanto, este afecta directamente a la generación de la médula.

Los huesos

La estructura de los huesos da soporte al cuerpo, protege los órganos internos, almacena la médula ósea y conduce el movimiento.

El útero

El útero está localizado en el abdomen inferior. Sus principales funciones son gobernar la menstruación y el embarazo. El útero está estrechamente relacionado con el hígado, el riñón y con el mar de la sangre y el vaso de la concepción.

Los vasos

Los vasos son la casa de la sangre. Los vasos y el corazón forman un pasaje independiente, de autocontención, dentro del cual circulan la sangre y el qi. Los vasos reflejan el estado de las funciones del qi, la sangre y los órganos Zang-Fu, por tanto, el pulso es el espejo de las condiciones fisiológicas y de los cambios patológicos de los cinco órganos Zang.

Capítulo 3

Esencia, qi, sangre y fluidos corporales

La esencia, el qi, la sangre y los fluidos corporales son componentes básicos del cuerpo y mantienen las actividades vitales.

Esencia

La esencia es una sustancia refinada en el cuerpo, además de uno de los componentes básicos que mantienen las actividades diarias del cuerpo humano. El significado general de la esencia se refiere a todas las sustancias refinadas en el cuerpo, las cuales incluyen el qi, la sangre, los fluidos corporales y las sustancias absorbidas de la dieta ingerida; todo eso se denomina qi esencial. El significado más estricto es la esencia almacenada en el riñón, llamada esencia renal, la cual se divide en dos partes; la constitución congénita y la adquirida. La constitución congénita se hereda de los padres y es la esencia utilizada para la reproducción, por tanto es la sustancia fundamental para la vida. La esencia constitucional adquirida es también llamada la esencia de los Zang-Fu, y proviene de la esencia nutricional de las sustancias absorbidas de la dieta, así como de aquellos producidos por el normal metabolismo de los órganos Zang-Fu.

Las funciones fisiológicas de la esencia son generar vida, promover el crecimiento y el desarrollo, nutrir las vísceras, producir la médula y generar la sangre.

Qi

El qi es una sustancia básica que mantiene las actividades vitales del cuerpo humano.

El concepto de qi

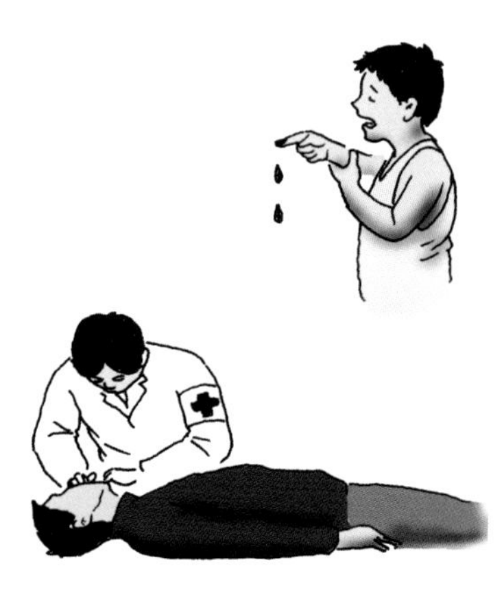

En el cuerpo humano, hay dos estados distintos de qi, uno se refiere a un estado de acumulación que toma forma, como la sangre, la esencia y los fluidos corporales. El otro se refiere a un estado de difusión, que es diseminado y difícil de ver, como el qi de reunión, el original y el defensivo.

La formación del qi

El qi del cuerpo humano proviene de tres fuentes: el qi esencial almacenado en el riñón, el qi esencial de la comida y la bebida, y el qi puro (aire) que proviene de la naturaleza. La esencia del qi congénito es heredada de la de los padres y almacenada en el riñón. La esencia constitucional adquirida es la esencia de los alimentos, absorbida a través de la alimentación y generada en el bazo y en el estómago; y el qi puro es inhalado de la naturaleza hacia el pulmón.

Las funciones fisiológicas del qi

- Función de promover: una función del qi es promover las actividades normales en el cuerpo, como su desarrollo y crecimiento, la función fisiológica de todos los órganos y los meridianos, la circulación y la generación de la sangre, y la generación, el aporte, la distribución y el drenaje de los fluidos corporales.

- Función de calentamiento: el qi calienta las vísceras, los meridianos, la piel, la sangre y los fluidos corporales. El cuerpo humano depende de la función de calentamiento del qi para mantener la temperatura normal.

- Función defensiva: el qi protege la superficie del cuerpo de la invasión de los patógenos externos. Cuando el qi defensivo está dentro del cuerpo, el qi perverso no podrá atacar.

- Función de seguridad y contención: la función de seguridad y de contención del qi mantiene la sangre dentro de los vasos y los previene de la extravasación; también controla la excreción de sudor, orina y esperma.

- Función de transformación: el movimiento del qi causa varios cambios en el cuerpo, como el metabolismo de la esencia, el qi, la sangre y los fluidos orgánicos, así como su transformación mutua.

La dirección del movimiento del qi

El movimiento del qi se llama mecanismo del qi, y puede ser dividido en cuatro patrones básicos: ascenso, descenso, entrada y salida. El ascenso se refiere al movimiento desde abajo; el descenso, desde arriba; la salida, desde el interior; y la entrada, desde el exterior.

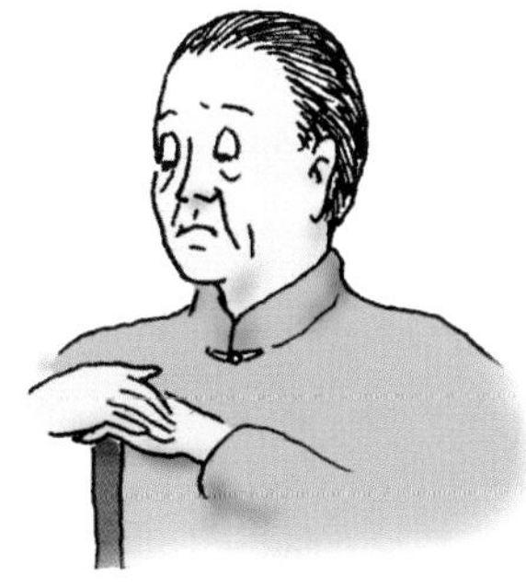

El estancamiento del qi es la obstrucción de su movimiento; el flujo del qi a contracorriente es el ascenso y descenso alterado del qi; el hundimiento describe un movimiento insuficiente del ascenso del qi o cuando el qi desciende en lugar de ascender; mientras que el escape del qi es la incapacidad del qi para conservarse en el interior del cuerpo por lo que una gran cantidad de qi se escapa fuera del cuerpo.

La clasificación del qi

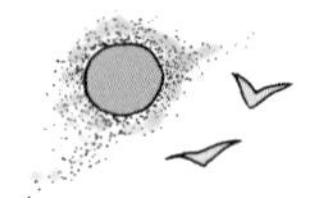

Qi original

El qi original es el qi más fundamental e importante del cuerpo, y la fuerza motivadora básica para las actividades vitales. Es heredado de la constitución congénita de los padres y también depende de la constitución adquirida, que se nutre de la esencia de los alimentos. Si el qi original es suficiente, entonces las actividades vitales serán normales, y el cuerpo estará sano y rara vez enfermará.

Qi de reunión

El qi de reunión se asienta en el pecho, se origina de la combinación del qi puro inhalado por el pulmón y el qi esencial transformado por el estómago y el bazo a partir de la esencia de los alimentos. Las funciones fisiológicas principales del qi de reunión son promover la función respiratoria del qi del pulmón para pasar a través del tracto respiratorio, el corazón y los vasos sanguíneos, a fin de desplazar el qi y la sangre.

Qi nutritivo

El qi nutritivo es un componente ligero y nutritivo de la esencia de los alimentos. Fluye junto con la sangre en los vasos y nutre todo el cuerpo; por lo tanto, la sangre y el qi nutritivo están estrechamente relacionados y se llaman sangre-nutriente.

Qi defensivo

El qi defensivo es un componente de relativo movimiento rápido y suave de la esencia de los alimentos. Fluye en el exterior de los vasos y su función es proteger el cuerpo humano del ataque del qi perverso. Sus funciones fisiológicas principales son:

1) defender la superficie del cuerpo y prevenir del ataque de patógenos externos;
2) calentar y nutrir los órganos Zang-Fu, los músculos, la piel y el pelo;
3) controlar la apertura y el cierre de los espacios intersticiales a fin de prevenir la pérdida de sudor.

Sangre

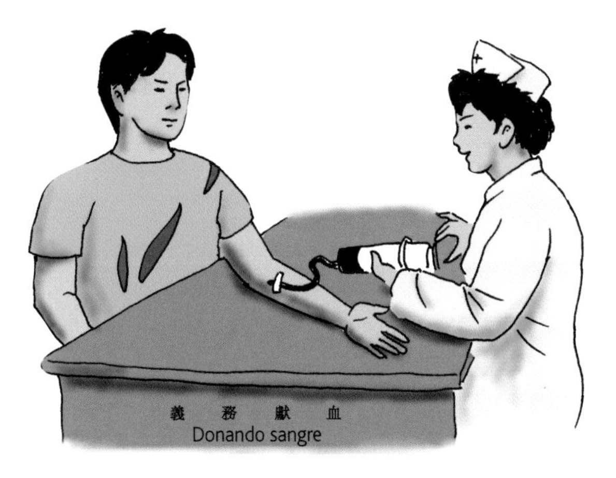

Donando sangre

El concepto de sangre

La sangre es un fluido rojo que contiene los nutrientes que fluyen por los vasos; tiene funciones de nutrición e hidratación, y es un material básico para mantener las actividades vitales.

Las funciones fisiológicas de la sangre

La sangre nutre e hidrata los tejidos y los órganos del cuerpo.

Si la sangre es insuficiente, puede causar tez amarilla, músculos demacrados, pelo y piel secos, y funciones de los órganos Zang-Fu débiles. Todas las actividades físicas humanas necesitan una

nutrición suficiente de sangre. La deficiencia de sangre puede causar mareos, visión borrosa, entumecimiento de los miembros y músculos, y espasmos de las articulaciones.

La sangre es la base material para las actividades mentales.

Si el qi y la sangre son suficientes, la mente estará clara. La deficiencia de sangre de hígado y de corazón puede causar palpitaciones con miedo, insomnio, sueños múltiples y agitación mental.

Los fluidos corporales

El concepto de fluidos corporales

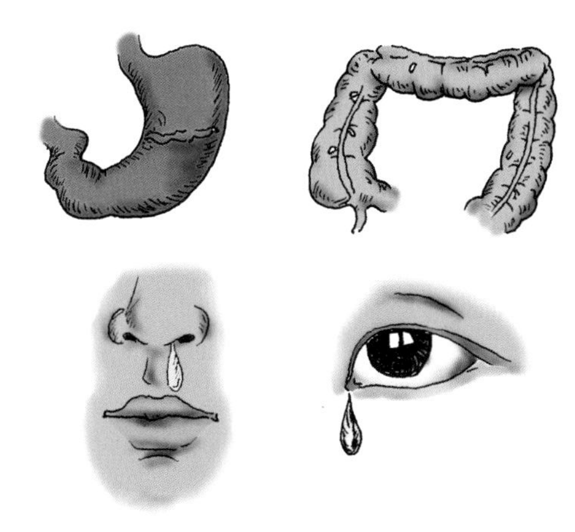

Fluidos corporales es un término general para todo tipo de líquidos y secreciones normales en los órganos y los tejidos del cuerpo, como el ácido gástrico, los fluidos digestivos, las lágrimas, etcétera. Como el qi y la sangre, los fluidos corporales también son una sustancia básica para mantener las actividades vitales normales del cuerpo humano.

La formación de los fluidos corporales

Los fluidos corporales se originan de la bebida y la comida, y se forman a partir de las funciones de transporte y transformación del bazo y el estómago. La distribución y la excreción de los fluidos corporales se realiza principalmente por las funciones de transporte y transformación del bazo, la función de dispersión del pulmón, la de vaporización del riñón y la de transformación de San Jiao.

La excreción de los fluidos corporales

Una de las funciones del pulmón es regular las vías de paso del agua. Por difusión, el pulmón distribuye los fluidos transportados por el bazo a todas las partes del cuerpo, como la piel, el pelo y la nariz. El pulmón también dirige los fluidos hacia abajo, hasta el riñón y la vejiga. Esos fluidos metabolizados son transformados en orina. La función del riñón de transformar el qi es responsable de la descarga de la orina del cuerpo.

La función de los fluidos corporales

Las principales funciones de los fluidos corporales son hidratar y nutrir el cuerpo. Hidratan la piel, el pelo y los músculos, y nutren la médula ósea, la espinal, el cerebro, los órganos y los orificios. Cuando los fluidos del cuerpo van dentro de los vasos, se transforman en parte de la sangre.

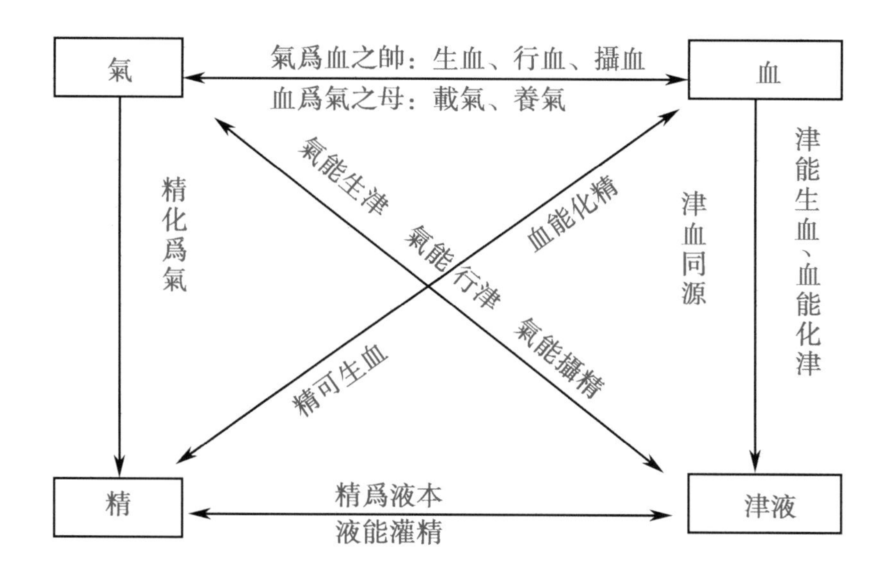

Las relaciones entre qi, sangre y fluidos corporales

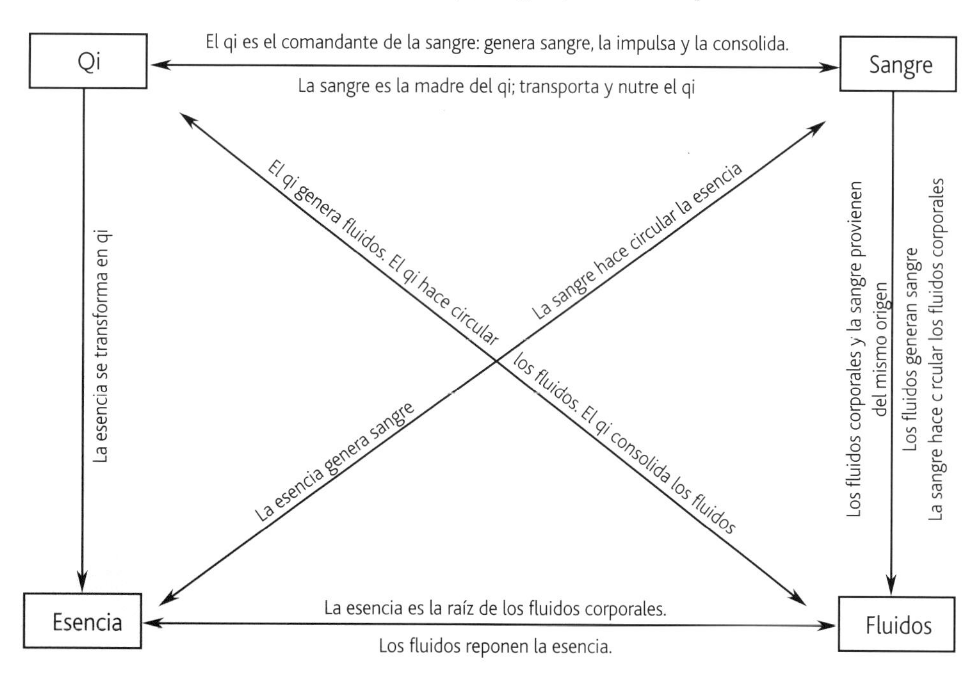

Capítulo 4

Canales y colaterales

La teoría de los canales y los colaterales tiene que ver con la fisiología y la patología de los meridanos y los colaterales, así como con sus relaciones entre los órganos Zang-Fu, los orificios, el qi, la sangre y los fluidos orgánicos. Es una parte esencial de la teoría de la medicina china.

La teoría de los meridianos y los colaterales se estableció tras un largo período de práctica clínica. Se basa en la acumulación gradual de experiencia en acupuntura y moxibustión, tui na y qi gong, combinada con el conocimiento anatómico moderno. La teoría de los meridianos y los colaterales no es solo la teoría básica subyacente a esas artes, sino que también es de gran importancia como guía en todos los campos de la medicina china.

El concepto y los contenidos del sistema de meridianos y colaterales

El concepto de meridianos y colaterales

Los meridianos y sus colaterales son las vías de paso a través de las cuales el qi y la sangre circulan por el cuerpo y, mediante los cuales, los órganos Zang-Fu y las extremidades están conectadas. Además, permiten que pueda darse la comunicación entre las partes superior e inferior, y la interior y exterior del cuerpo.

El término «meridiano» indica una vía de paso, el camino principal que recorre longitudinalmente el sistema de canales y colaterales. Muchos meridianos van a partes más profundas del

乾隆銅人
(上海中醫藥大學)

cuerpo a través de recorridos fijos. El término «colateral» significa red, y son las ramas de los meridianos. Los colaterales recorren en direcciones entrecruzadas el organismo, formando una red que une los órganos Zang-Fu, el cuerpo físico y los orificios en un todo orgánico.

La composición del sistema de meridianos y colaterales

El sistema de meridianos y colaterales consiste en los meridianos, los colaterales y sus partes acopladas. Los meridianos y los colaterales se conectan internamente con los órganos Zang-Fu, y externamente con los tendones, los músculos y la piel.

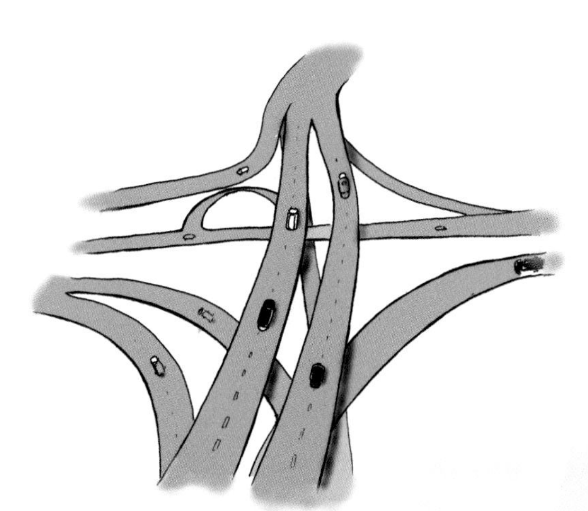

Meridianos

Los meridianos pueden dividirse en dos tipos: los principales y los extraordinarios. Son el núcleo del sistema de meridianos. Además, hay doce meridianos divergentes.

Los doce meridianos principales

Los doce meridianos principales son los tres meridianos yin de la mano y del pie (taiyin, shaoyin y jueyin), y los tres meridianos yang de la mano y el pie (taiyang, yangming y shaoyang). Todos empiezan y terminan en localizaciones específicas y circulan por distintos recorridos y secuencias. Están distribuidos regularmente por el tronco y las extremidades, con los que también se relacionan. Se conectan directamente con los órganos Zang-Fu en el interior del cuerpo. Son las vías principales a través de las cuales el qi y la sangre circulan.

Los ocho vasos extraordinarios

El vaso gobernador, el de la concepción, el penetrante, el vaso cinturón, el de motilidad de los yin, el de motilidad de los yang, el de unión de los yin y el de unión de los yang son comúnmente conocidos como los ocho vasos extraordinarios. Sus funciones son gobernar, comunicar y regular los doce meridianos. Se denominan «canales extraordinarios» porque sus recorridos no se parecen a los de los doce meridianos, y porque no tienen relación directa con ninguno de los órganos internos.

Los doce meridianos divergentes

Los doce meridianos divergentes se extienden por los meridianos principales, originándose de las cuatro extremidades y penetrando en la parte profunda de los órganos Zang-Fu, para luego emerger al nivel superficial del cuello y la nuca. Sus funciones principales son reforzar las interconexiones entre los meridianos principales interior-exterior y rellenar los meridianos principales; asimismo, los meridianos divergentes pueden llegar a los órganos y las áreas del cuerpo donde los meridianos principales no logran hacerlo.

Colaterales

Los colaterales pueden ser clasificados en colaterales divergentes, superficiales o menudos.

Los colaterales divergentes

Son los colaterales principales más largos. Cada uno de los doce meridianos, el vaso gobernador y el vaso de la concepción tienen un meridiano divergente. Esos meridianos divergentes, junto con el gran meridiano divergente del bazo, forman en total quince. Sus principales funciones son fortalecer las relaciones interior y exterior de esos meridianos.

Los colaterales superficiales

Los colaterales superficiales son los que viajan por la capa superficial del cuerpo humano, donde suelen realizar sus apariciones.

Los colaterales menudos

Los colaterales menudos son los colaterales más pequeños.

Las ramas secundarias

Los doce meridianos tendido-musculares

Los doce meridianos tendido-musculares se refieren a la parte que conecta los doce meridianos con sus tejidos conjuntivos, incluidos los tendones, los músculos y las articulaciones. Los meridianos tendido-musculares forman un sistema donde el qi del meridiano se acumula, reúne, dispersa y se conecta con los tendones, los músculos y las articulaciones. Están relacionados con los meridianos principales y juntos reciben el nombre de los doce meridianos o regiones tendido-musculares. Sus funciones son conectar las extremidades y los tejidos, así como controlar los movimientos de las articulaciones.

Las doce regiones cutáneas

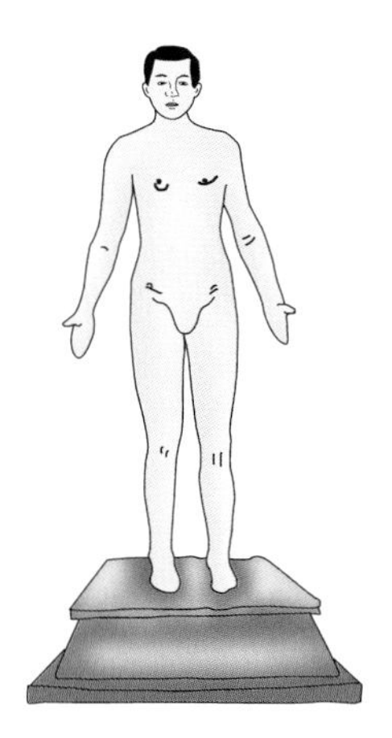

Las doce regiones cutáneas se refieren al área en la superficie del cuerpo, la cual está unida a los doce meridianos. Esas áreas reflejan los doce meridianos en ciertas partes de la superficie del cuerpo. La piel del cuerpo es donde se reflejan las actividades funcionales de los doce meridianos principales y donde se distribuye el qi del meridiano. La piel del cuerpo puede dividirse en doce partes, que corresponden a los doce meridianos y se denominan «las doce regiones cutáneas».

Clasificación del sistema de meridianos y colaterales

	1. Meridianos	
Doce meridianos principales: las vías principales por las que el qi y la sangre circulan. Están relacionados y se conectan con los órganos Zang-Fu directamente en el interior del cuerpo.	Los tres meridianos yin de la mano	Meridiano del pulmón taiyin de la mano Meridiano del pericardio jueyin de la mano Meridiano del corazón shaoyin de la mano
	Los tres meridianos yang de la mano	Meridiano del intestino grueso yangming de la mano Meridiano San Jiao shaoyang de la mano Meridiano del intestino delgado taiyang de la mano
	Los tres meridianos yin del pie	Meridiano del bazo taiyin del pie Meridiano del hígado jueyin del pie Meridiano del riñón shaoyin del pie
	Los tres meridianos yang del pie	Meridiano del estómago yangming del pie Meridiano del vesícula biliar shaoyang del pie Meridiano del vejiga taiyang de pie
Ocho meridianos extraordinarios	Otros meridianos importantes, además de los doce meridianos, son el vaso gobernador, el de la concepción, el penetrante, el vaso cinturón, el de motilidad de los yin, el de motilidad de los yang, el de unión de los yin y el de unión de los yang. La función es gobernar, regular y comunicar con los doce meridianos.	
Los doce meridianos divergentes	Son las ramas principales de los doce meridianos. Fortalecen las relaciones entre el interior y el exterior de dichos meridianos.	
	2. Colaterales	
Los quince colaterales divergentes	Son las ramas derivadas de los doce meridianos, el vaso de la concepción y el vaso gobernador junto con el gran colateral del bazo. La función es fortalecer la relación entre el interior y el exterior de los canales relacionados y transportar el qi y la sangre.	
Los colaterales menudos	Todos los colaterales pequeños.	
Los colaterales superficiales	Los colaterales distribuidos por la superficie del cuerpo.	
	3. Ramas secundarias	
Los doce canales tendido-musculares	Sistema donde el meridiano acumula el qi, enlaza, reúne, dispersa y se conecta con los tendones, los músculos y las articulaciones. Conectan las extremidades y los tejidos, así como controlan el movimiento de las articulaciones.	
Los doce regiones cutáneas	Las doce regiones donde las reacciones causadas por los doce meridianos regulares se manifiestan en la superficie del cuerpo.	

Los doce canales principales

Nomenclatura

Los doce meridianos principales se distribuyen simétricamente y bilateralmente en el cuerpo, y pasan a través de los lados medial y lateral de las extremidades superiores e inferiores. Cada meridiano se conecta con un órgano Zang o un órgano Fu; de esta forma, el nombre de cada uno de los doce meridianos principales tiene tres partes: mano o pie, yin o yang, y el órgano Zang-Fu. Estas son las reglas de nomenclatura.

Los Zang pertenecen al yin, los Fu pertenecen al yang

Los canales yin pertenecen a los órganos Zang, mientras que los meridianos yang pertenece a los órganos Fu.

Los miembros superiores se refieren a las manos, y los miembros inferiores se refieren a los pies

Los meridianos que fluyen a lo largo de los miembros superiores son los meridianos de la mano, y los meridianos que lo hacen a lo largo de los miembros inferiores son los canales del pie.

Clasificación de la nomenclatura de los doce meridianos principales

	Meridianos yin (Pertenecen a los órganos Zang)	**Meridianos yang** (Pertenecen a los órganos Fu)	**Recorrido** (Los meridianos yin recorren el lado medial, y los meridianos yang recorren el lado lateral)	
Mano	El meridiano del pulmón taiyin de la mano	El meridiano del intestino grueso yangming de la mano	Miembros superiores	Borde anterior
	El meridiano del pericardio jueyin de la mano	El meridiano de San Jiao shaoyang de la mano		Línea media
	El meridiano del corazón shaoyin de la mano	El meridiano del intestino delgado taiyang de la mano		Borde posterior
Pie	El meridiano del bazo taiyin del pie*	El meridiano del estómago yangming del pie	Miembros inferiores	Borde anterior
	El meridiano del hígado jueyin del pie*	El meridiano de la vesícula biliar shaoyang del pie		Línea media
	El meridiano del riñón shaoyin del pie*	El meridiano de la vejiga taiyang del pie		Borde posterior

* En la parte baja de la pierna y el dorsal del pie, el meridiano del hígado se sitúa en el borde anterior, y el meridiano del bazo, en la línea media. Después ambos se cruzan en un punto a 8 cun sobre el maléolo medial, y entonces el meridiano del bazo se sitúa en el borde anterior y el meridiano del hígado, en el medio.

El lado medial pertenece al yin, mientras que el lado lateral pertenece al yang

Los meridianos yin van a lo largo del lado medial de las cuatro extremidades, mientras que los meridianos yang lo hacen a lo largo de su lado lateral. Las reglas de distribución del lado yin son que los meridianos taiyin están distribuidos por el lado anterior, los meridianos shaoyin están distribuidos en el lado posterior, y los meridianos jueyin están distribuidos a lo largo de la línea media. Las reglas de distribución de los meridianos yang son que los meridianos yangming están distribuidos por el lado anterior, los meridianos taiyang están distribuidos por el lado posterior, y los meridianos shaoyang están distribuidos a lo largo de la línea media.

Las reglas de los recorridos y las conexiones

Hay unas reglas específicas para los recorridos y las conexiones de los doce meridianos principales. Los tres meridianos yin de la mano van desde el pecho hasta la punta de los dedos, y entonces se conectan con los tres meridianos yang de la mano. Los tres meridianos yang de la mano van desde la punta de los dedos a la cabeza y la cara, y entonces se conectan con los tres meridianos yang del pie. Los tres meridianos yang del pie descienden desde la cara y la cabeza hacia la punta de los dedos de los pies, y entontes se conectan con los tres meridianos yin del pie. Los tres meridianos yin del pie comienzan en los dedos de los pies y ascienden al abdomen y el pecho para conectarse con los tres meridianos yin de la mano.

手足陰陽經脈走向交接規律示譩圖

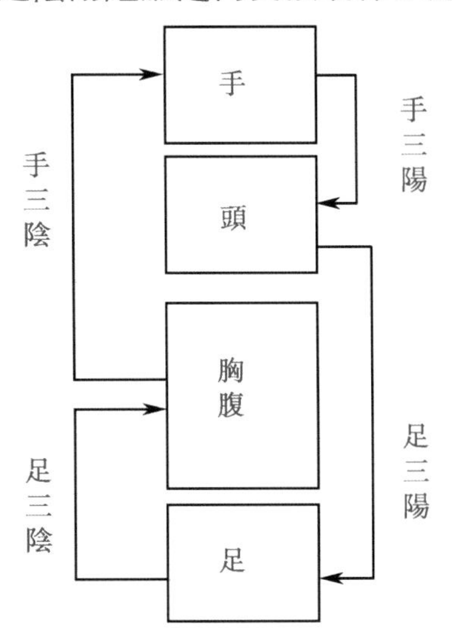

Diagrama de las conexiones de los meridianos de la mano y el pie

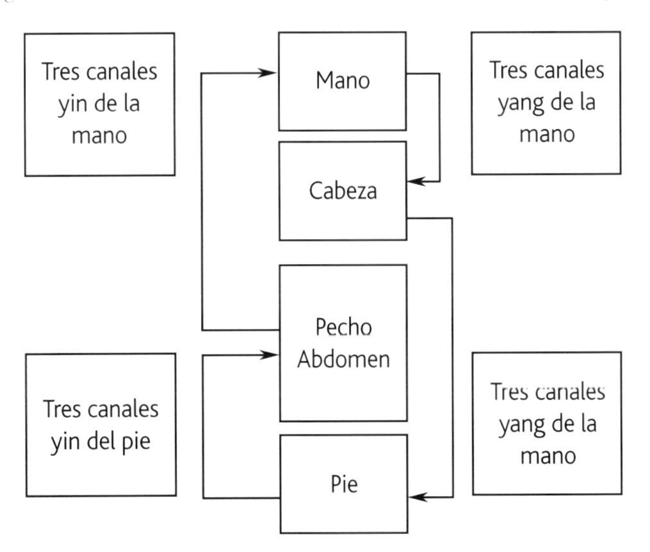

Las reglas de distribución

La distribución de los doce meridianos principales en el cuerpo es fija.

En la cara y la cabeza

Los meridianos de yangming están distribuidos por la cara y la frente. Los meridianos de shaoyang recorren el lado lateral de la cabeza. Los meridianos taiyang pasan por las mejillas, el vértice y la parte posterior del cuello. Los tres meridianos yang de la mano y el pie se reúnen en la cara y la cabeza.

En el tronco

Los tres meridianos yang de la mano recorren la región escapular. Entre los tres meridianos yang del pie, el meridiano de yangming recorre anteriormente (del pecho al abdomen), el meridiano taiyang va posteriormente (por la espalda), y el meridiano shaoyang lateralmente. Los tres meridianos yin de la mano emergen del área por debajo de la axila, y los tres meridianos yin del pie recorren la región abdominal.

En los cuatro miembros

Los meridianos yin recorren el lado medial de las cuatro extremidades, mientras que los meridianos yang recorren el lado lateral de las cuatro extremidades. El orden de distribución de los tres meridianos yin es: los meridianos taiyin por la parte anterior, los meridianos shaoyin por la posterior, y los meridianos jueyin a lo largo de la línea media. Los dos meridianos del pie taiyin y jueyin se cruzan a unos ocho cun sobre la punta del maléolo interno, entonces el meridiano taiyin pasa a situarse en el borde anterior y el meridiano jueyin pasa a la línea media. El orden de distribución de los meridianos yang es: los meridianos yangming en la parte anterior, los meridianos taiyang en la posterior, y los meridianos shaoyang a lo largo de la línea media.

Relaciones interior-exterior

Los tres meridianos yin de la mano y el pie y los tres meridianos yang de la mano y el pie están unidos entre sí a través de los meridianos divergentes y los colaterales, que constituyen seis pares de relación exterior-interior.

Las relaciones externas e internas entre los doce meridianos

Externa	Meridiano del intestino grueso yangming de la mano	Meridiano del San Jiao shaoyang de la mano	Meridiano del intestino delgado taiyang de la mano	Meridiano del estómago yangming del pie	Meridiano de la vesícula biliar shaoyang del pie	Meridiano de la vejiga taiyang del pie
Interna	Meridiano del pulmón taiyin de la mano	Meridiano del pericardio jueyin de la mano	Meridiano del corazón shaoyin de la mano	Meridiano del bazo taiyin del pie	Meridiano del hígado jueyin del pie	Meridiano del riñón shaoyin del pie

Los meridianos externos e internos se conectan al final de los cuatro miembros, que recorren respectivamente el lado medial y lateral de las extremidades. Los meridianos que tienen relaciones externas e internas pertenecen a los órganos Zang-Fu, los cuales están también relacionados el uno con el otro, externa e internamente. De esta forma, los canales y los órganos Zang-Fu, mediante las relaciones externa e interna, se relacionan entre sí. El meridiano yin pertenece a los órganos Zang y se conecta con los órganos Fu a través de sus colaterales, mientras que el meridiano yang pertenece a los órganos Fu y se conecta con los órganos Zang por sus colaterales. La relación interior-exterior de los doce meridianos principales no solo fortalece la comunicación por la conexión de los dos meridianos interior-exteriores, sino que también se conectan y pertenecen a los mismos órganos Zang-Fu.

Esto posibilita que los órganos Zang y los órganos Fu que tienen relación interior-exterior se coordinen mutuamente en sus funciones fisiológicas, y se influencien recíprocamente patológicamente. En el tratamiento, los puntos pertenecientes a ambos canales interior-exterior pueden ser mutuamente seleccionados. Por ejemplo, los puntos del meridiano del pulmón pueden ser seleccionados para tratar enfermedades del órgano Fu del intestino grueso, o también enfermedades del meridiano.

El flujo y la secuencia de los doce meridianos

Los doce meridianos principales son las principales vías del qi y la sangre, y están distribuidos por todo el cuerpo; a su vez, el qi y la sangre circulan constantemente por los canales. El qi pasa del calentador medio al pulmón, empieza en el meridiano del pulmón, taiyin de la mano, y es transportado al meridiano del hígado, jueyin del pie, en el orden correcto, entonces este proceso vuelve a comenzar en el meridiano del pulmón, taiyin de la mano. Las interconexiones de los puntos iniciales y finales forman un círculo. Se denomina el flujo circular de qi en los doce canales principales. Este flujo y esta secuencia se muestran en la siguiente figura.

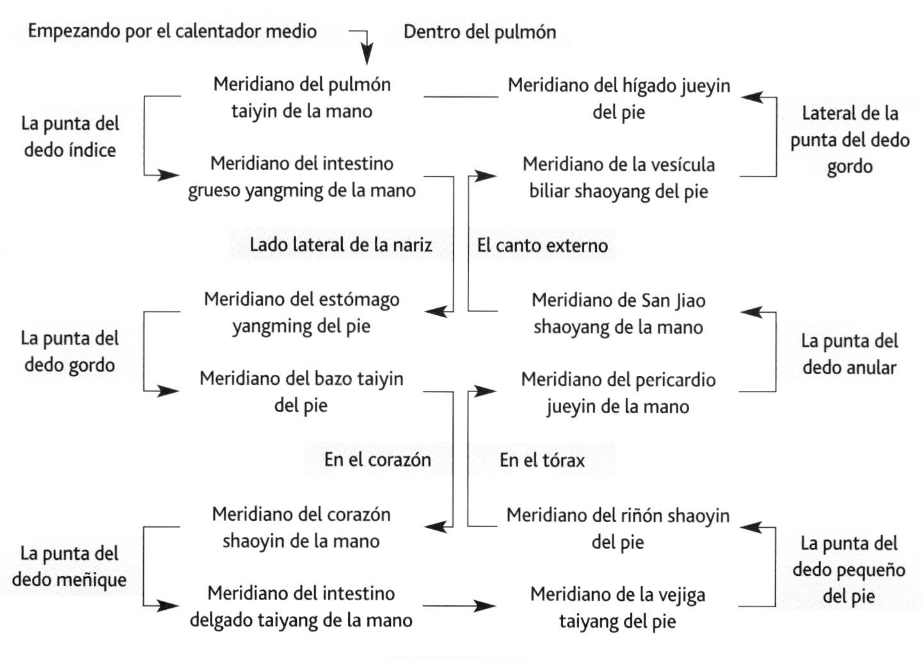

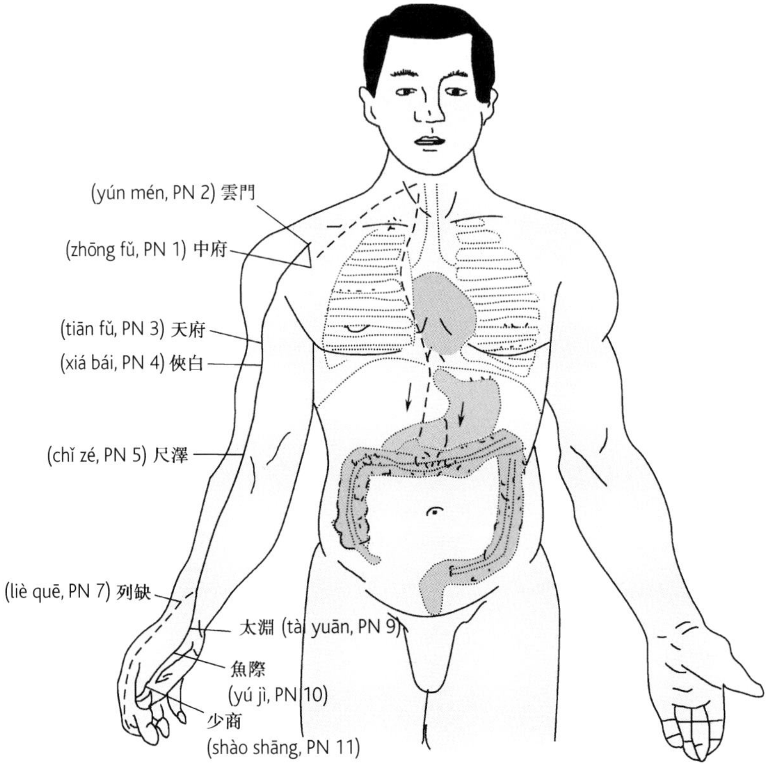

Meridiano del pulmón taiyin de la mano

Calentador medio → intestino grueso → orificio superior del estómago → diafragma → pulmón → sistema pulmonar → lado medial de la parte superior del brazo → axila → lado anterior del lado radial del antebrazo → pulso cun en la muñeca → PN 10 (yú jì) → lado medio de la punta del pulgar. Meridiano Luo: posterior a la muñeca, en PN 7 (liè quē) → lado radial de la punta del dedo índice → se conecta con el meridiano del intestino grueso yangming de la mano.

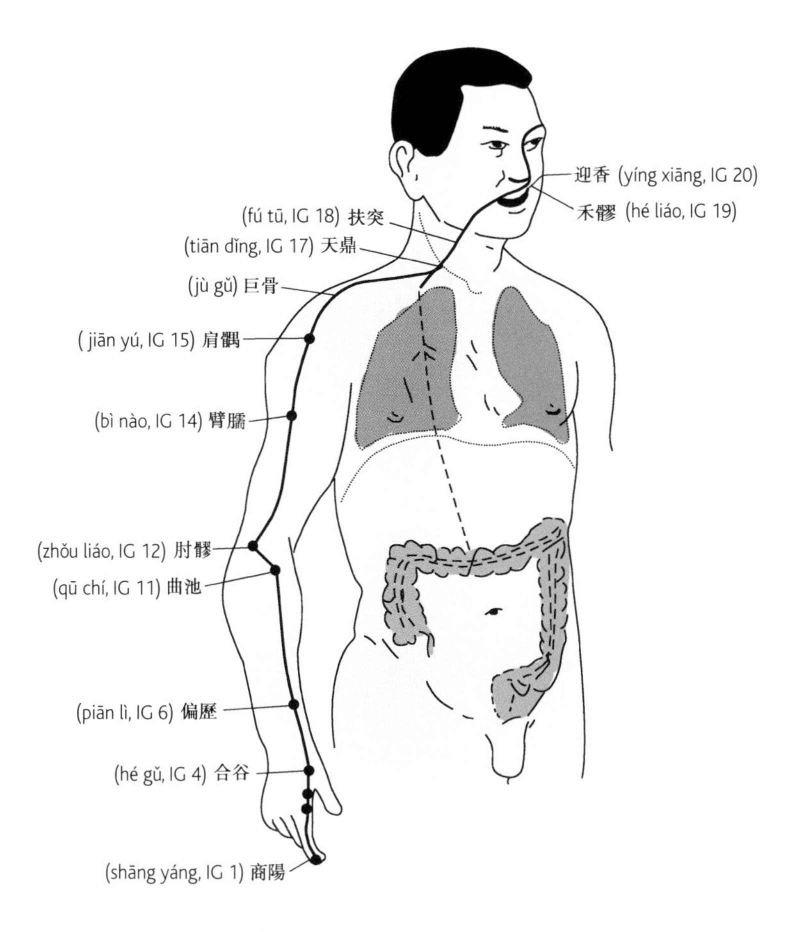

Meridiano del intestino grueso yangming de la mano

Lado radial del dedo índice → espacio entre el primer y el segundo hueso metacarpiano → depresión entre los tendones del extensor largo y corto del pulgar → lado anterior del antebrazo → cara lateral del codo → lado lateral anterior de la parte superior del brazo → punto más alto del hombro → borde anterior del acromion → DU 14 (dà zhuī) → EST 12 (quē pén) → pulmón → diafragma → intestino grueso.

Meridiano Luo: EST 12 (quē pén) → cuello → mejilla → encías inferiores → labio superior → IG 17 (tiān dǐng) → el meridiano izquierdo cruza a la derecha y el meridiano derecho cruza a la izquierda → lado lateral contrario de la nariz → se conecta con el meridiano del estómago yangming del pie.

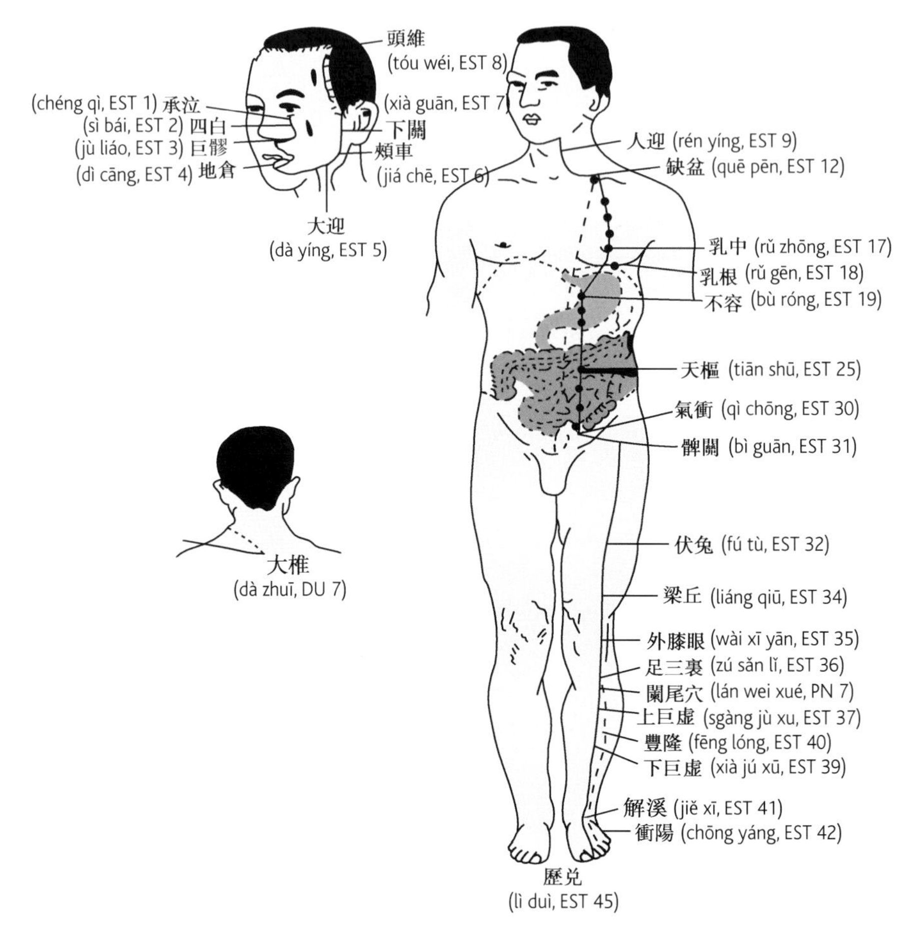

Meridiano del estómago yangming del pie

Lado lateral de la nariz → el puente de la nariz → laterales de las ventanas de la nariz → encía superior → alrededor de los labios → posterior y lateral a la boca → parte inferior de la mejilla en EST 5 (dà yíng) → bajo el hueso zigomático → en frente de la oreja → frente.

La rama facial del meridiano: EST 5 (dà yíng) → EST 9 (rén yíng) → EST 12 (quē pén) → diafragma → estómago → bazo.

El camino directo del meridiano surgiendo de la fosa supraclavicular: EST 12 (quē pén) → pezón → ombligo → EST 30 (qì chōng).

Rama desde el orificio inferior del estómago: desde el interior del abdomen → desciende hasta EST 30 (qì chōng) → EST 31 (fì guān) → EST 32 (fú tù) → rodilla → parte anterior del lateral de la tibia → dorso del pie → lado lateral de la punta del segundo dedo del pie.

Rama tibial del meridiano: 3 cun por debajo de la rodilla → lado lateral del dedo medio del pie.

Rama desde el dorso del pie: dorso del pie → acaba en el lado medial de la punta del dedo gordo del pie → se conecta con el meridiano del bazo taiyin del pie.

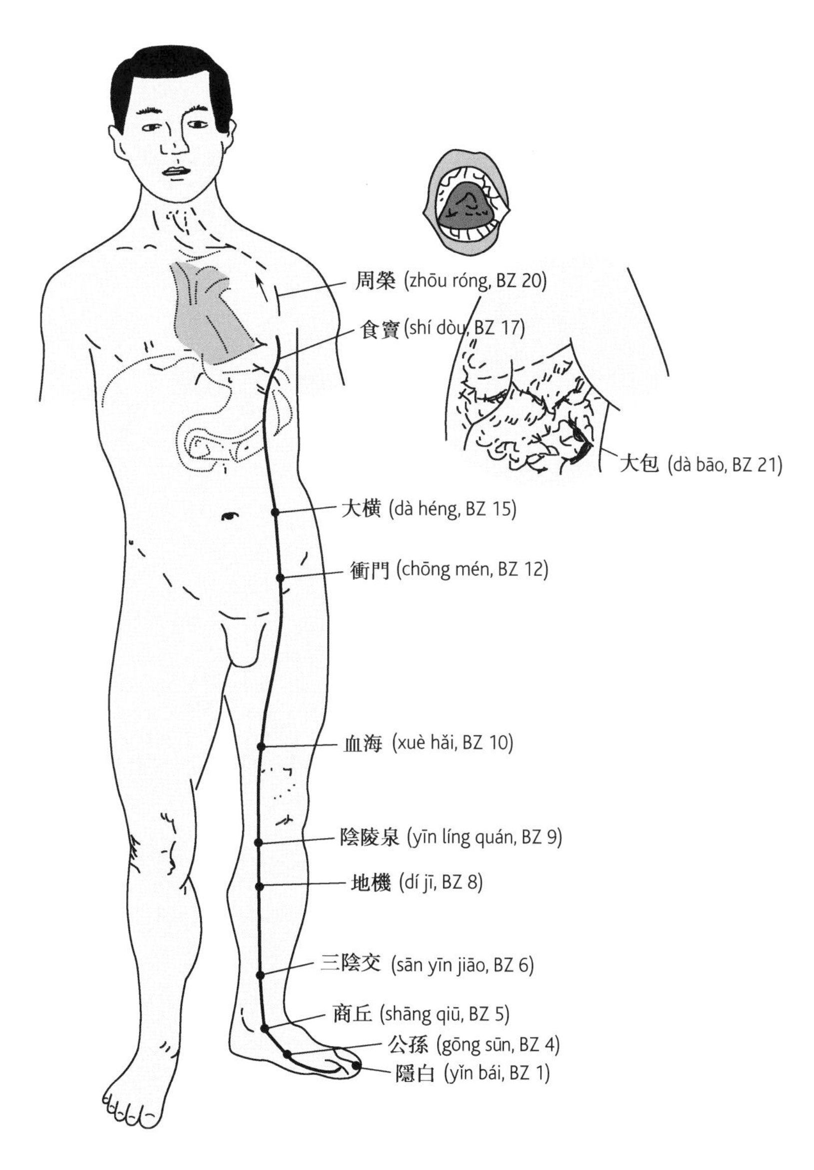

Meridiano del bazo taiyin del pie

Lado medial de la punta del dedo gordo del pie → parte posterior de la articulación del dedo → maléolo anterior medial → pantorrilla → después de enlazarse, medial al meridiano del hígado jueyin del pie → lado anterior y medial de la rodilla y el muslo → abdomen → bazo → estómago → diafragma → esófago → raíz de la lengua → debajo la lengua.
Rama del meridiano del estómago: estómago → diafragma → corazón → se conecta con el meridiano del corazón shaoyin de la mano.

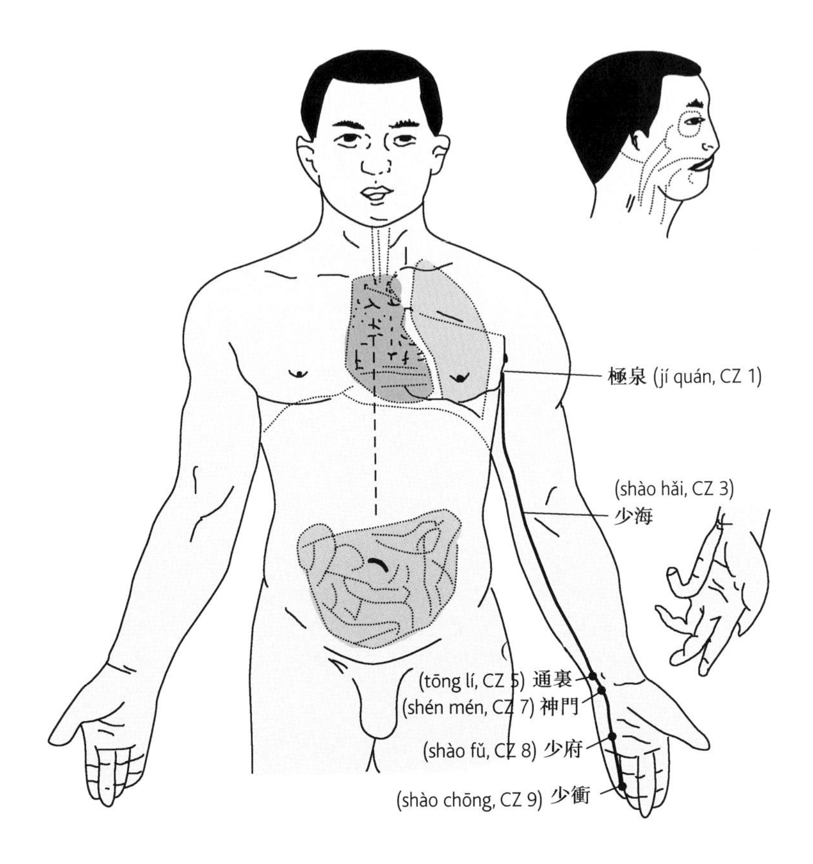

Meridiano del corazón shaoyin de la mano

Corazón → sistema cardíaco → diafragma → intestino delgado.
Rama ascendente del «sistema cardíaco»: sistema cardíaco → garganta → sistema ocular.
El recorrido directo del canal del «sistema cardíaco»: sistema cardíaco → pulmón → axila → borde posterior de la parte superior del brazo → borde posterior del antebrazo medial → región del pisiforme proximal a la palma → palma → lado medio del dedo meñique hacia la punta → y se conecta con el meridiano del intestino delgado taiyang de la mano.

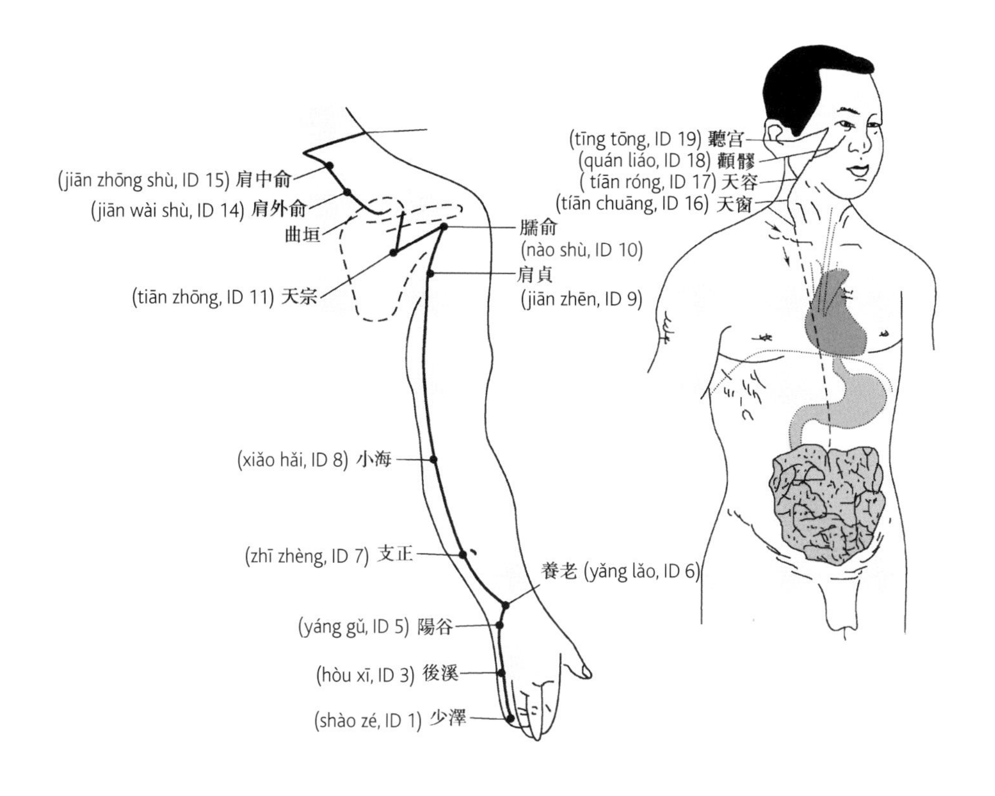

Meridiano del intestino delgado taiyang de la mano

Punta lateral del dedo meñique → lado lateral del dorso de la mano → muñeca → proceso estiloides del cúbito → lado posterior lateral del antebrazo → superior al olécranon del cúbito y medial al epicóndilo del húmero → borde posterior del lado lateral de la parte superior del brazo → articulación del hombro → región escapular → DU 14 (dà zhuī) → EST 12 (quē pén) → corazón → diafragma → estómago → intestino delgado.
Rama del meridiano de la fosa supraclavicular: EST 12 (quē pén) → cuello → mejilla → canto externo → oreja.
Rama del meridiano de la mejilla: mejilla → región infraorbital → lateral de la nariz → canto interno → se conecta con el meridiano de la vejiga taiyang del pie.

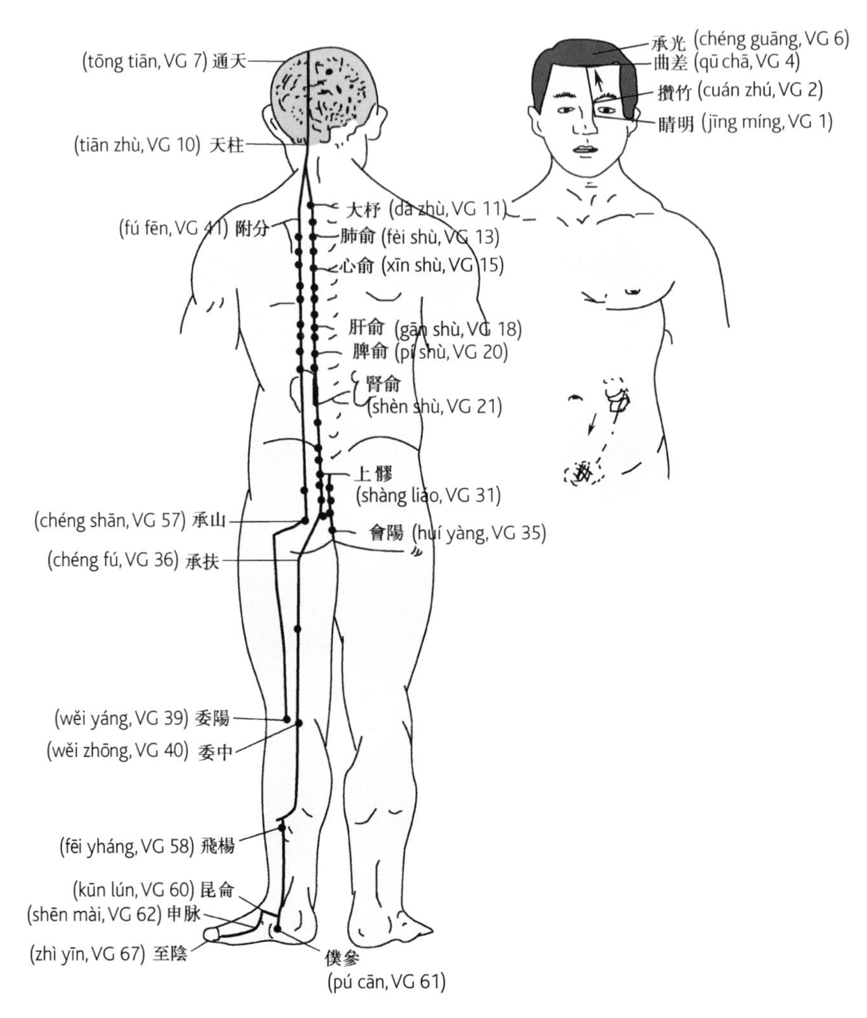

Meridiano de la vejiga taiyang del pie

Canto interno → frente → vértice.
Rama del meridiano del vértice: vértice → sien.
El recorrido directo del meridiano: vértice del cerebro → interior del cerebro → lado medio de la región escapular → región lumbar (desde donde entra en el cuerpo, a través de los músculos paravertebrales) → riñón → vejiga.
Rama del meridiano de la región lumbar: región lumbar → región glútea → hueco poplíteo.
Rama del meridiano de la parte posterior del cuello: cuello posterior → lado medio de la escápula → región glútea → lado posterior lateral del muslo → hueco poplíteo (donde se encuentra con la rama descendiente de la región lumbar) → músculo gastrocnemio → parte posterior del maléolo externo → tuberosidad del quinto hueso metatarsiano → donde conecta con el meridiano del riñón shaoyin del pie.

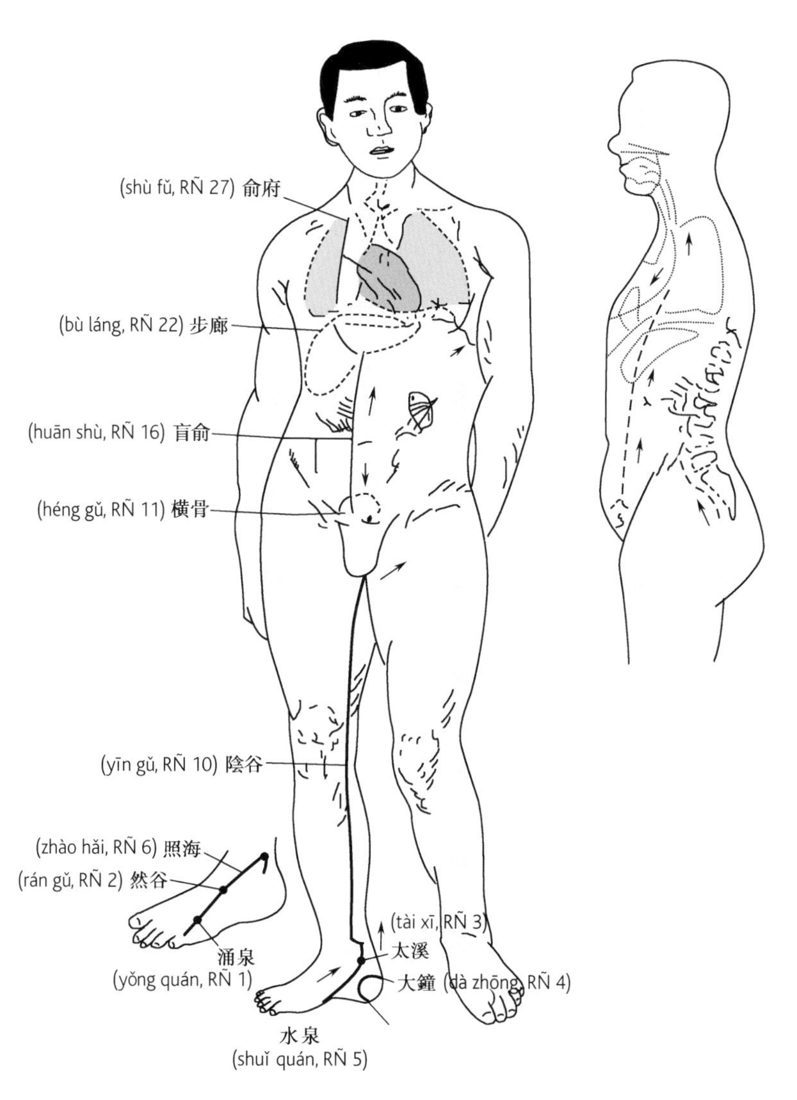

Meridiano del riñón shaoyin del pie

Lado inferior del dedo pequeño del pie → planta → tuberosidad del hueso navicular → maléolo medial → tobillo → lado medial de la pierna → lado medial del hueco poplíteo → lado posterior-medial del muslo → columna vertebral → riñón → vejiga.

El recorrido directo del meridiano: el riñón → hígado → diafragma → pulmón → garganta → raíz de la lengua.

Rama que brota del pulmón: pulmón → corazón → pecho → y conecta con el meridiano del pericardio jueyin de la mano.

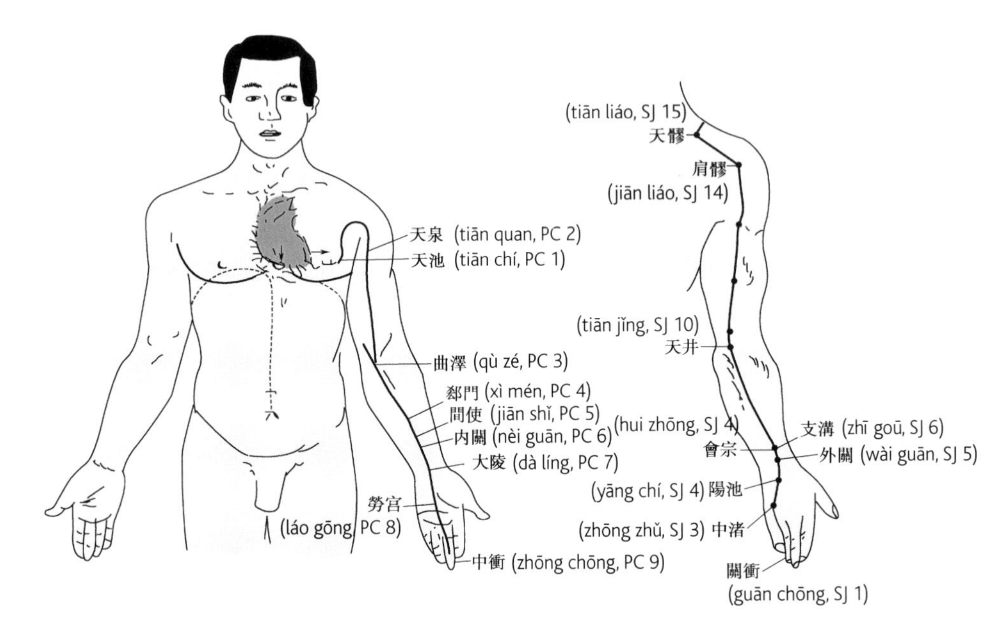

Meridiano del pericardio jueyin de la mano

Pecho → pericardio → diafragma (se conecta con el calentador superior, medio, e inferior sucesivamente en el pecho y abdomen).

Rama del meridiano del pecho: pecho → región costal → el punto 3 cun por debajo de la axila → axila → la fosa cubital de la parte superior media del brazo → el antebrazo, entre el tendón palmar largo y el flexor del carpo → palma → la punta del dedo medio.

El recorrido directo del meridiano: riñón → hígado → diafragma → pulmón → garganta → raíz de la lengua.

Rama del meridiano de la palma: PC 8 (láo gōng) → punta del dedo anular → se conecta con el meridiano de San Jiao shaoyang de la mano.

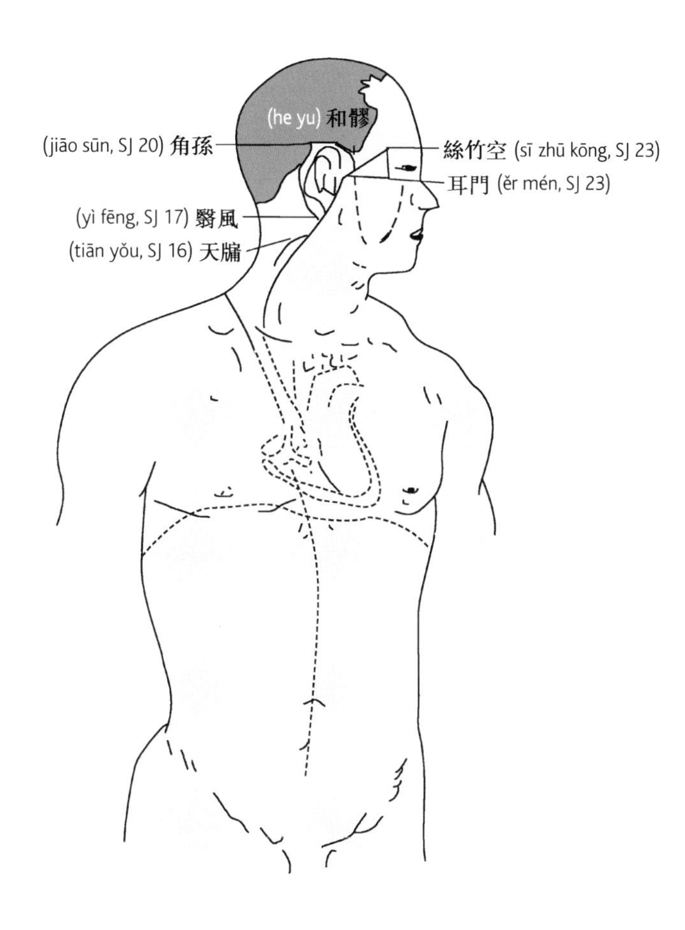

Meridiano de San Jiao shaoyang de la mano

La punta del dedo anular → entre el cuarto y el quinto hueso metacarpiano → cara dorsal de la muñeca → antebrazo lateral, entre el radio y el cúbito → olécranon → parte superior lateral del brazo → región del hombro → fosa supraclavicular → pecho → pericardio → diafragma, desde donde desciende a través del abdomen, y se une a su órgano correspondiente, el calentador superior, medio e inferior.

Rama del meridiano del pecho: pecho → fosa supraclavicular → cuello → borde posterior de la oreja → por encima de la oreja → línea anterior del pelo → mejilla → región infraorbital.

Rama auricular del meridiano: desde la región retro-auricular → interior de la oreja → por delante de la oreja → mejilla → canto externo, donde se une con el meridiano de la vesícula biliar shaoyang del pie.

Meridiano de la vesícula biliar shaoyang del pie

Canto exterior → por delante de la oreja → esquina de la frente → región retro-auricular → por detrás del mastoides → frente → cuello → l hombro → E 12 (quē pén).
Rama retro-auricular: región retro-auricular → dentro de la oreja → región pre-auricular → canto exterior posterior.
Rama del meridiano del canto exterior: canto exterior → SJ 5 (dà yíng) → SJ 6 (jiá chē) → cuello → E 12 (quē pén) → pecho → diafragma → hígado → vesícula biliar → región del hipocondrio → pliegue inguinal → margen púbico → articulación de la cadera.
El recorrido directo de la rama del meridiano de la fosa supraclavicular: E 12 (quē pén) → axila → zona lateral del pecho → costillas flotantes → región de la cadera → cara lateral del muslo → cara lateral de la rodilla → lado anterior del peroné → peroné inferior → lado anterior del maléolo externo → dorso del pie → cara lateral de la punta del cuarto dedo del pie.
Rama del dorso del pie: VB 41 (zú lín qì) → primer y segundo huesos metatarsianos → porción distal del dedo gordo del pie → región con vello del área posterior a la uña del dedo del pie, donde se une con el meridiano del hígado jueyin del pie.

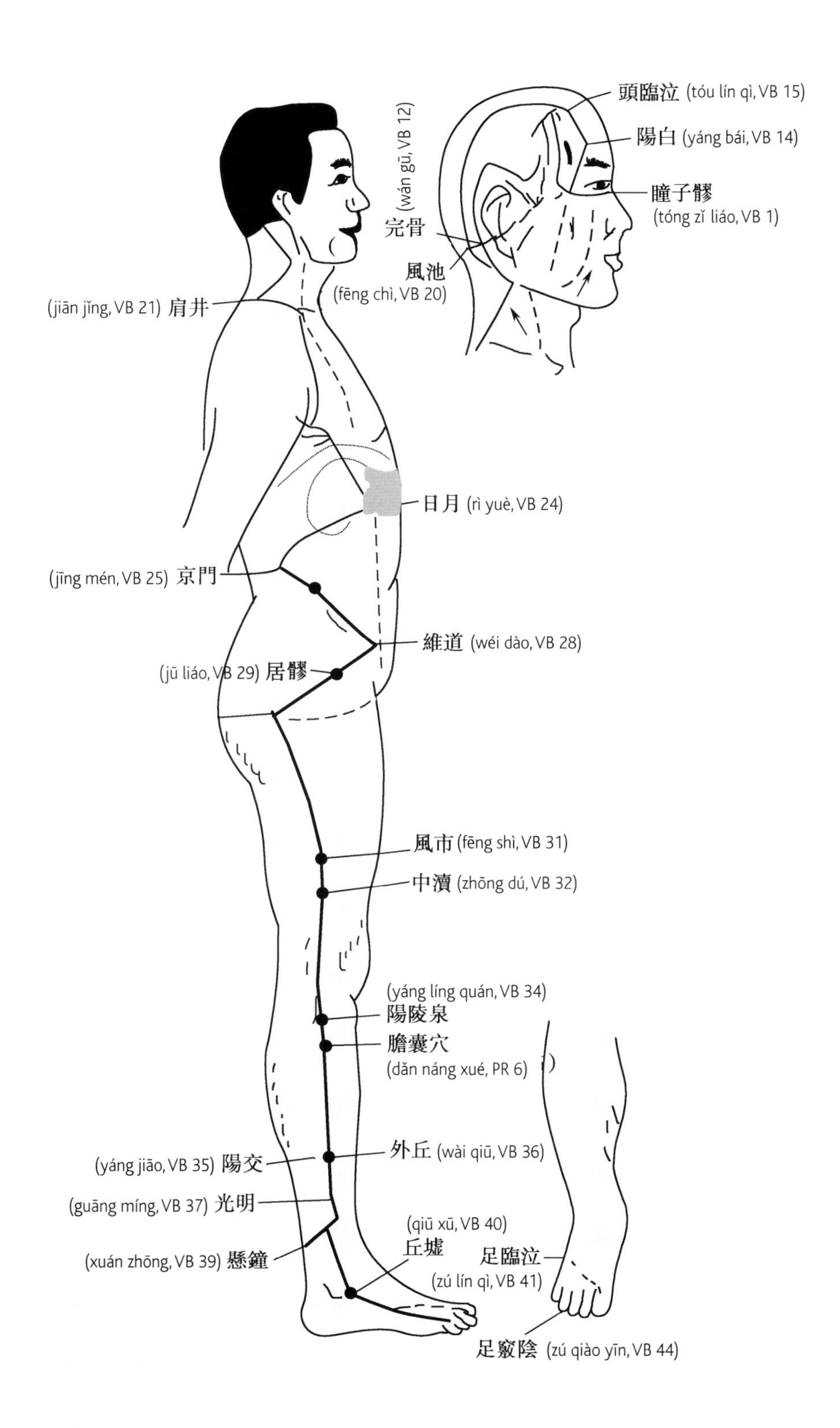
頭臨泣 (tóu lín qì, VB 15)
陽白 (yáng bái, VB 14)
(wán gū, VB 12)
瞳子髎
(tóng zǐ liáo, VB 1)
完骨
風池
(fēng chì, VB 20)
(jiān jǐng, VB 21) 肩井
日月 (rì yuè, VB 24)
(jīng mén, VB 25) 京門
維道 (wéi dào, VB 28)
(jū liáo, VB 29) 居髎
風市 (fēng shì, VB 31)
中瀆 (zhōng dú, VB 32)
(yáng líng quán, VB 34)
陽陵泉
膽囊穴
(dǎn náng xué, PR 6)
外丘 (wài qiū, VB 36)
(yáng jiāo, VB 35) 陽交
(guāng míng, VB 37) 光明
(qiū xū, VB 40)
丘墟
(xuán zhōng, VB 39) 懸鐘
足臨泣
(zú lín qì, VB 41)
足竅陰 (zú qiào yīn, VB 44)

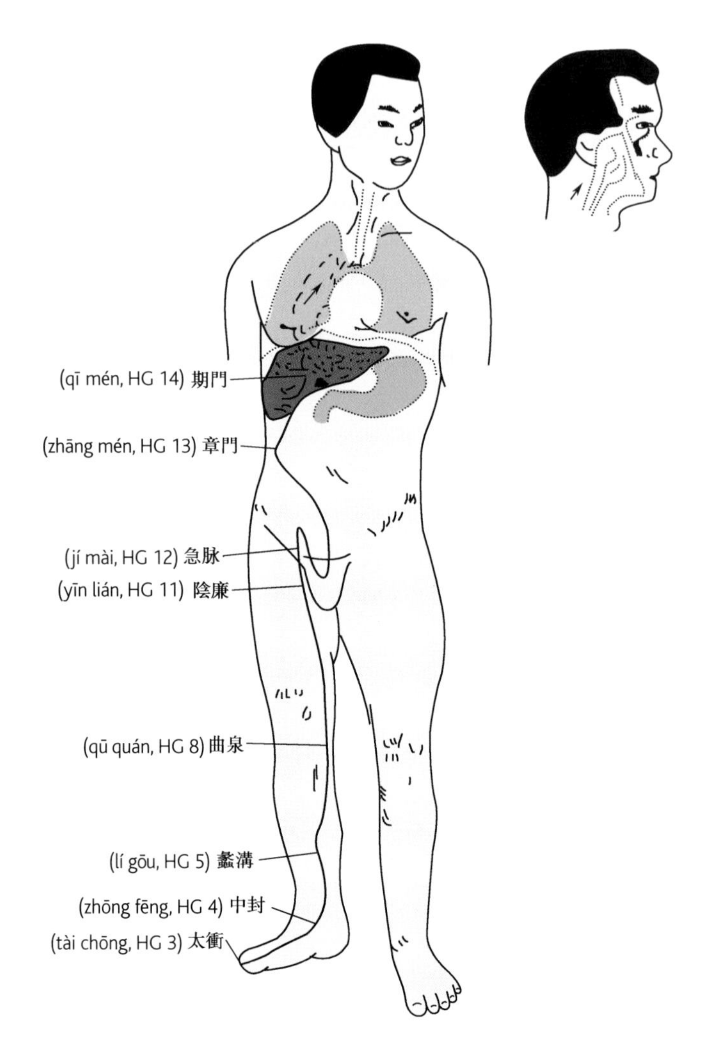

Meridiano del hígado jueyin del pie

El área con pelo en el dorso del dedo gordo del pie → dorso del pie → frente al maléolo medial → una región a 6 cun sobre el maléolo medial, donde se cruza y se coloca detrás del meridiano del bazo taiyin del pie → lado medial de la rodilla → lado medial del muslo → región del vello púbico (donde se curva alrededor de los genitales externos) → abdomen inferior → estómago → hígado → vesícula biliar → diafragma → regiones costales y del hipocondrio → garganta posterior → faringe nasal → sistema ocular → frente, donde se encuentra con el vaso Du Mai en el vértice.

Rama del meridiano del sistema ocular: sistema ocular → dentro de la mejilla → superficie interior de los labios.

Rama del canal del hígado: hígado → diafragma → pulmón, donde se une con el meridiano del pulmón taiyin de la mano.

La suma de los doce meridianos

Nombres de los meridianos	Punto de comienzo	Distribución			Punto final	Unión con los órganos Zang-Fu	Punto de comienzo
		Región de la cabeza	Región del cuerpo	El tronco			
El meridiano del pulmón yin mayor de la mano	Calentador medio (estómago)		Lado lateral de la parte superior del pecho	Lado anterior del lado radial en la parte medial del antebrazo	La punta del pulgar	Pulmón, intestino grueso, estómago	Bronquios, garganta
El meridiano del intestino grueso brillante yang de la mano	La punta del dedo índice	Mejilla, alrededor de la boca	Región escapular	Lado anterior lateral de la parte superior del brazo	Los lados contra-laterales de la nariz, se une con el meridiano del estómago de yangming del pie	Pulmón, intestino grueso	Dientes inferiores, boca, nariz
El meridiano del estómago brillante yang del pie	Lado lateral de la nariz	La punta de la nariz, frente	Las regiones del pecho y el abdomen	La cara lateral de los miembros inferiores	El segundo dedo y el dedo medio	Estómago, bazo, corazón	Dientes superiores, garganta, pecho, nariz, boca
El meridiano del bazo yin mayor de pie	La punta del dedo gordo		Abdomen, pecho	La cara medial anterior de los miembros inferiores	Bajo la lengua	Bazo, estómago, corazón	Garganta, lengua
El meridiano del corazón yin menor de la mano	El corazón		La axila	El lado posterior de la cara medial de la parte superior de los brazos	La punta del dedo meñique se une con el meridiano del intestino delgado	Corazón, sistema cardíaco, intestino delgado, pulmón	Garganta, sistema ocular
El meridiano del intestino grueso mayor yang de la mano	La punta del dedo meñique	Mejillas, región infraorbital	Región escapular	El lado posterior de la cara lateral de la parte superior de los brazos	El canto interno se une con el meridiano de la vejiga urinaria taiyang del pie	Intestino delgado, corazón, estómago	Orejas, ojos
El meridiano de la vejiga yang mayor del pie	Canto interno	Frente, vértice, lado posterior del cuello	Espalda, cintura	Lado lateral de los miembros superiores	El dedo pequeño del pie se une con el meridiano del riñón	Vejiga, riñón, cerebro	El ano, el ojo
El meridiano del riñón menor yin del pie	El dedo pequeño del pie		Abdomen, pecho	Borde posterior medial de los miembros inferiores	La raíz de la lengua	Riñón, vejiga urinaria, hígado, pulmón, corazón	Garganta, lengua
El meridiano del pericardio reverenciado yin de la mano	El pecho		La región costal	La línea media de la cara medial de los miembros superiores	La punta del dedo medio	Pericardio, San Jiao	
El meridiano de San Jiao yang menor de la mano	La punta del dedo anular	La región de la oreja y de la mejilla	El lado posterior de la región del hombro	La línea media de la cara lateral de los miembros superiores	La región infraorbital	San Jiao, pericardio	Orejas, ojos
El meridiano de la vesícula biliar yang menor del pie	El canto externo	La región de la oreja	El frente de la axila	El lado medio de la cara lateral de los miembros inferiores	El cuarto dedo	Vesícula biliar, hígado, corazón	Orejas, ojos, garganta
El meridiano del hígado vuelto yin del pie	El dedo gordo	El vértice	El abdomen inferior, costilla	El lado medio de la cara medial de los miembros inferiores	El vértice	Hígado, vesícula biliar, pulmón, estómago	Sistema ocular, garganta, nariz

Los ocho vasos extraordinarios

El concepto de los ocho vasos extraordinarios

«Los ocho vasos extraordinarios» es un término general para el vaso gobernador, el vaso de la concepción, el vaso penetrante, el vaso cinturón, el vaso de motilidad de los yin, el vaso de motilidad de los yang, el vaso de unión de los yin y el vaso de unión de los yang. Se denominan «vasos extraordinarios» porque su distribución es menos regular que aquella de los doce meridianos, y porque no tienen relación directa con órganos internos, ni hay coordinación exterior-interior entre ellos.

Las funciones de los ocho vasos extraordinarios

Los ocho meridianos extraordinarios cruzan el recorrido de los doce meridianos principales, y funcionan de la siguiente manera:

- Para fortalecer más la conexión de los doce meridianos principales. Por ejemplo, el vaso gobernador controla los canales yang, y el vaso de la concepción se denomina el mar de los meridianos yin.
- Para regular el qi y la sangre de los doce meridianos principales. Cuando la cantidad de sangre y qi dentro de los doce meridianos principales es excesiva y se desborda, ese exceso será almacenado por los ocho vasos extraordinarios. Y viceversa, cuando la cantidad de sangre y de qi en los meridianos principales es insuficiente, se completará con la almacenada en los ocho vasos extraordinarios.
- Los ocho vasos extraordinarios están muy relacionados con el hígado, el riñón y otros órganos internos regulares, y también con el útero, el cerebro, la médula y otros órganos extraordinarios. Todos se comunican fisiológica y patológicamente.

El recorrido de su flujo y sus funciones

Vasos extraordinarios	Recorrido del vaso	Función
Vaso gobernador	Abdomen inferior – perineo – por dentro de la médula espinal – nuca – vértice – frente – nariz y labio superior.	Gobierna el meridiano yang, por lo que se denomina mar de los meridianos yang. Tiene una estrecha relación con el cerebro, la médula y el riñón.
Vaso de la concepción	Abdomen inferior – perineo – anterior – región púbica – línea del abdomen y el pecho – garganta, mentón, labios y mejilla – región infraorbital.	Gobierna todos los meridianos yin del cuerpo, por lo que se llama el mar de todos los meridianos yin. Además se dice que «el vaso de la concepción está a cargo del embarazo».
Vaso penetrante	① placenta – pared anterior del abdomen – médula espinal. ② placenta – pared posterior del abdomen – pecho – garganta – alrededor de los labios – maléolo medial – dorso del pie – dedo gordo del pie. ③ placenta – perineo – lado medio del muslo – planta.	El vaso penetrante fluye ascendente hacia la cabeza y desciende hacia el pie; se conecta con todo el cuerpo. También es responsable de regular el qi y la sangre de los doce meridianos principales, por tanto también se lo denomina «el mar de los doce meridianos principales». También recibe a veces el término de «el mar de la sangre» porque está relacionado con la menstruación.
Vaso cinturón	Hipocondrio – VB 26 (dài mài), alrededor de la cintura – cresta ilíaca superior – abdomen inferior.	Envuelve alrededor de la cintura de forma similar a un cinturón, y une todos los meridianos.
Vaso de motilidad de los yin	Bajo el maléolo – maléolo medial cara posterior medial de los miembros inferiores –frente de los genitales – abdomen, pecho, EST12 (quē pén), amígdalas – canto interior.	Controla el yin de los lados izquierdo y derecho de todo el cuerpo, y también nutre los ojos, controla la apertura y el cierre de los párpados y el movimiento de los miembros inferiores.
Vaso de motilidad de los yang	Maléolo – maléolo externo – lateral de miembros inferiores – lado posterior-lateral del abdomen y el pecho – parte lateral del hombro y el cuello – esquina de la boca – canto interno – línea del pelo por detrás de las orejas.	Controla el yang de los lados izquierdo y derecho de todo el cuerpo, y también nutre los ojos, controla la apertura y el cierre de los párpados y el movimiento de los miembros inferiores.
Vaso de unión de los yin	Cara medial de la espinilla (conecta con BZ 6, sān yīn jiāo) – cara medial de los miembros inferiores – abdomen (donde va con el meridiano del bazo) – región costal – garganta (donde conecta con el vaso de la concepción).	Mantiene y se comunica con todos los meridianos yin del cuerpo.
Vaso de unión de los yang	Bajo el maléolo lateral – cara lateral de los miembros inferiores – tronco posterior-lateral – posterior a la axila, el hombro, el cuello, la cara posterior de las orejas, la frente – lados de la cabeza, lado posterior de la nuca.	Mantiene y se comunica con todos los meridianos yang del cuerpo.

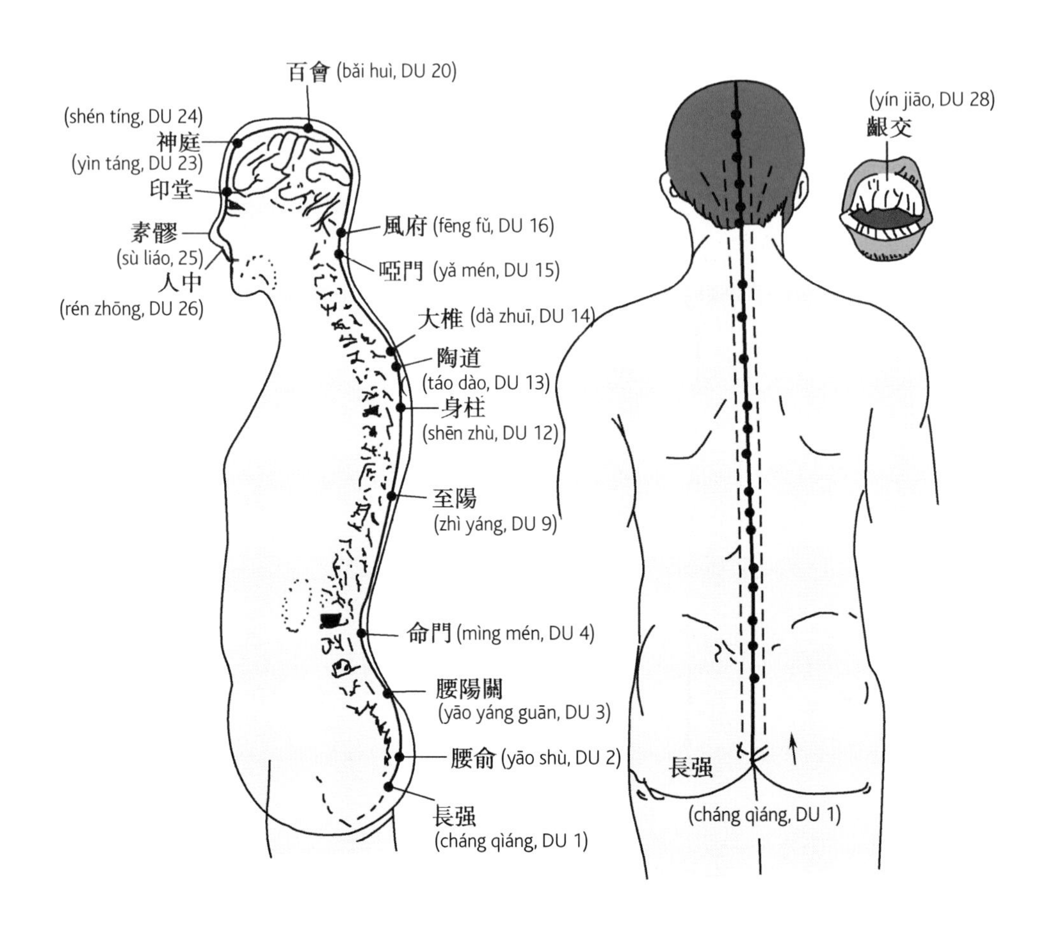

Vaso gobernador

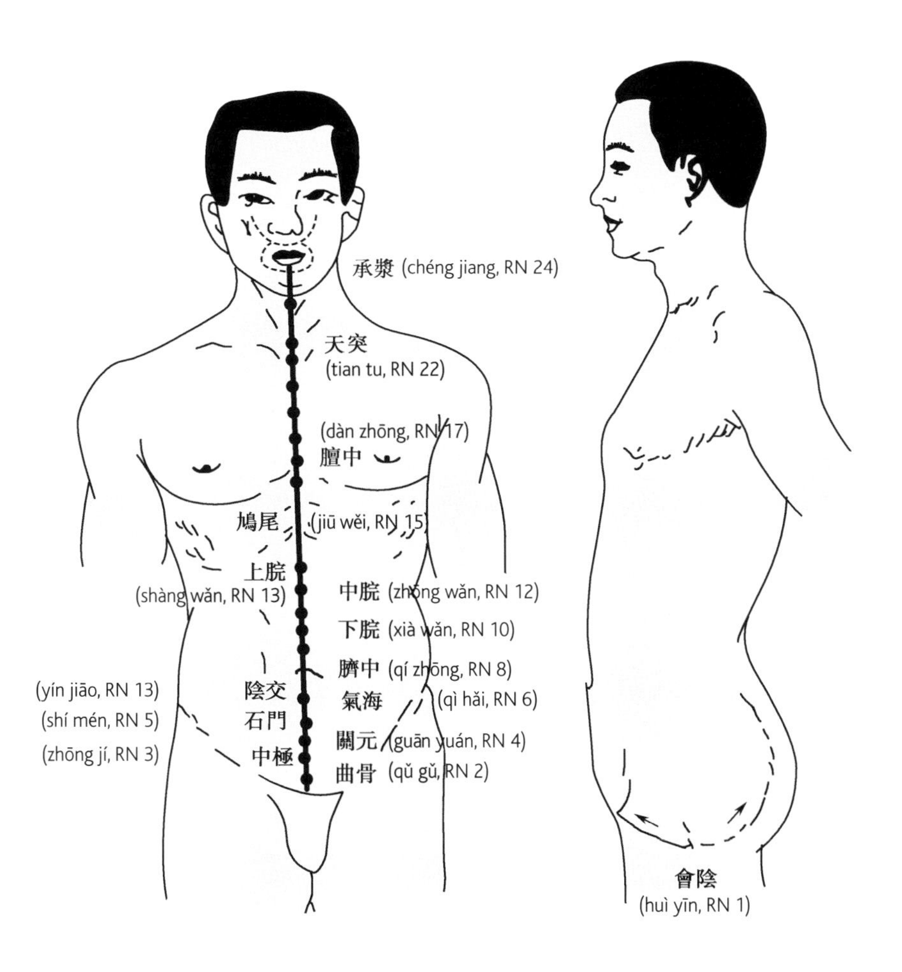

Vaso de la concepción

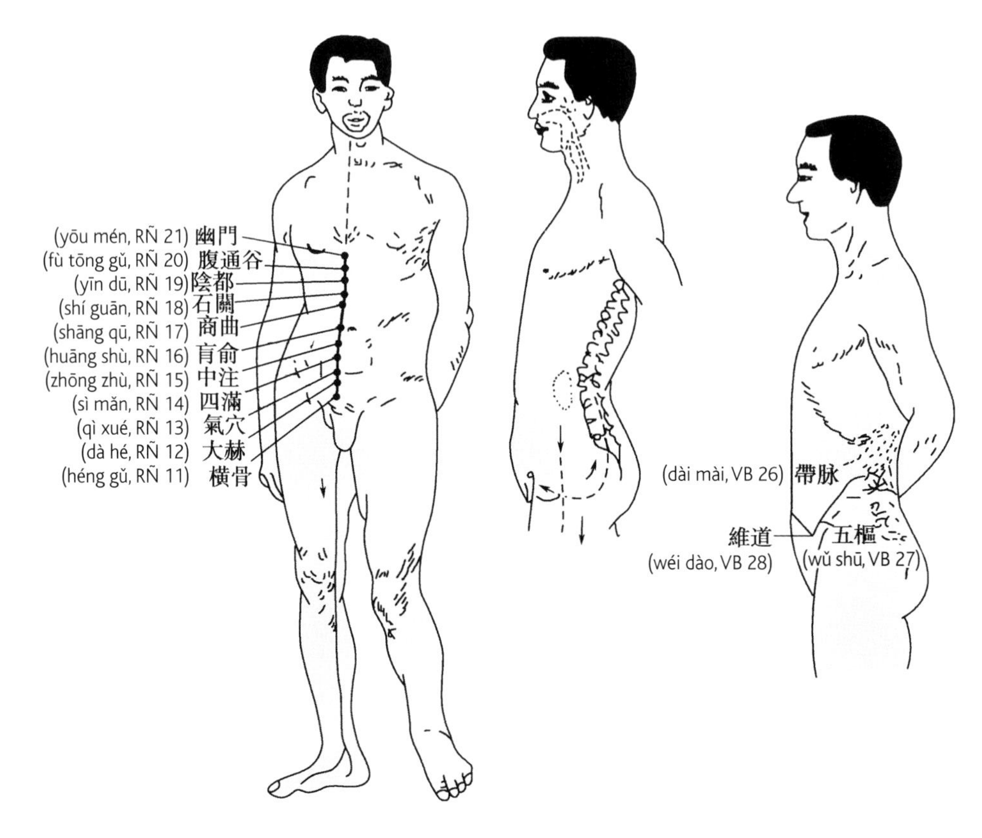

Vaso penetrante y vaso cinturón

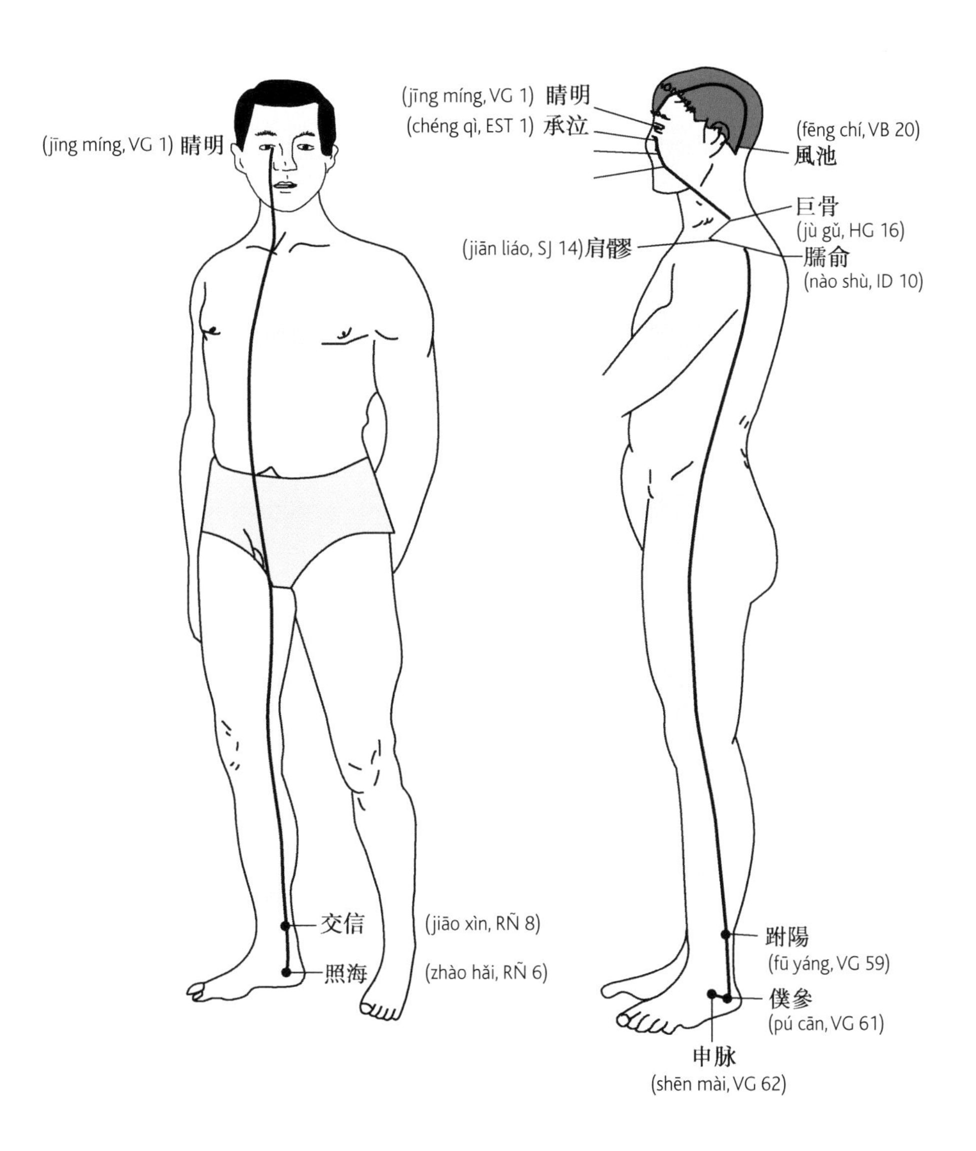

Vaso de motilidad de los yin y vaso de motilidad de los yang

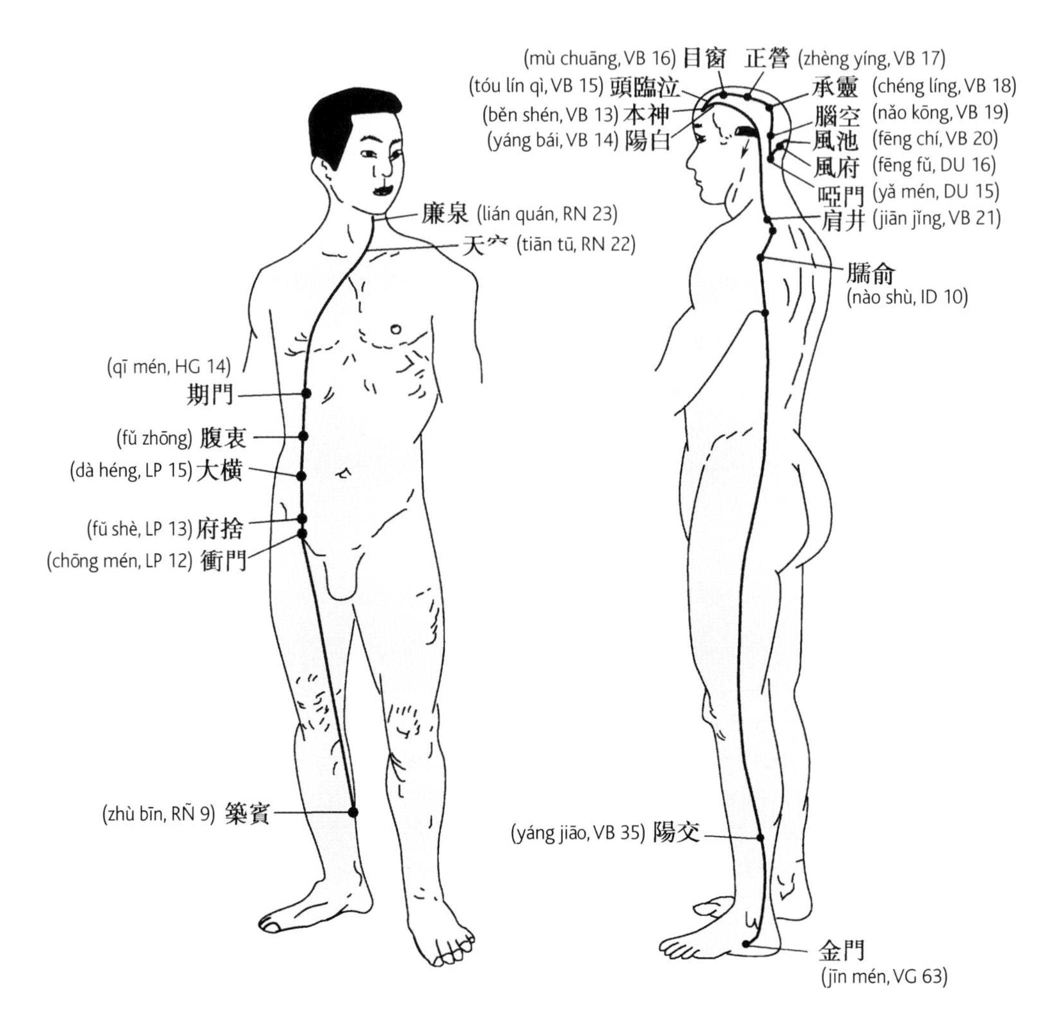

Vaso de unión de los yin y vaso de unión de los yang

Las funciones fisiológicas de los meridianos y las aplicaciones de la teoría de los meridianos

Las funciones fisiológicas de meridianos y colaterales

Conexión

Los meridianos conectan los órganos Zang-Fu y unen el exterior del cuerpo con su interior, así como su región superior con la inferior. El cuerpo humano consta de cinco órganos Zang y seis órganos Fu, cinco órganos de los sentidos y nueve orificios, cuatro extremidades y articulaciones, piel, músculos, tendones, vasos y huesos. Aunque hay diferencias en las funciones fisiológicas de las distintas partes del cuerpo, todos cooperan juntos en actividades integradas. Esta interrelación y cooperación se construye bajo las funciones de conexión y unión de meridianos y colaterales.

Nutrición

Esta función es principalmente realizada por el qi y la sangre. El qi y la sangre circulan por todo el cuerpo y para nutrir los órganos Zang-Fu y los tejidos, y para proteger el cuerpo contra los patógenos externos.

Las funciones sensoriales

Los meridianos y los colaterales forman una red para transmitir información a todas las partes del cuerpo humano. Cuando el músculo estriado es excitado, la estimulación va a través de los meridianos y los colaterales de sus órganos relacionados, donde provoca cambios en la función de esos órganos, que son transmitidos en la circulación del qi y la sangre, y también se ajusta a los objetivos funcionales de los órganos Zang-Fu. Al mismo tiempo, las funciones de los órganos pueden ser reflejadas por los meridianos y los colaterales. Como la circulación de los meridianos y los colaterales alcanza todas las partes del cuerpo, una parte del cuerpo puede ser vista como una representación de todo el organismo.

Regulación del equilibrio

Los meridianos y los colaterales distribuyen el qi y la sangre y coordinan el yin y el yang para mantener un equilibrio relativo en las actividades corporales. Cuando se desarrolla una enfermedad en el cuerpo, los síntomas de desequilibrio del qi y la sangre, y un exceso o deficiencia de yin y yang, surgen; esto puede ser tratado mediante la terapia de la acupuntura y la moxibustión para estimular los meridianos y regular sus funciones, que de hecho usa la tonificación para causar inhibición, y la inhibición para causar su tonificación.

Aplicación de la teoría de los meridianos y los colaterales

Para explicar los cambios patológicos

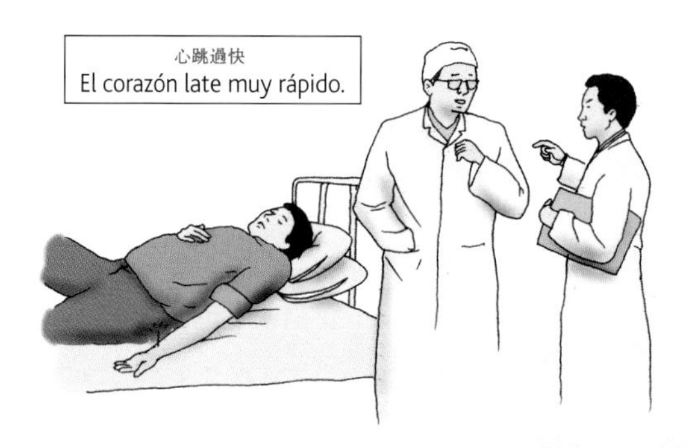

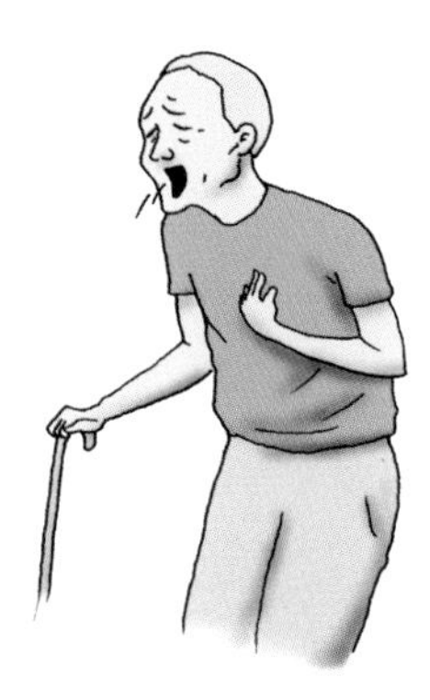

- Los meridianos y los colaterales son las vías por las cuales los patógenos externos entran en los órganos internos desde la superficie del cuerpo. Por ejemplo, cuando un patógeno externo ataca la superficie del cuerpo, síntomas como fiebre o dolor de cabeza se manifiestan pronto. Tos, dolor o pesadez en el pecho, son causados por patógenos externos cuando pasan por los meridianos y los colaterales, y finalmente viajan hasta el pulmón.

- Los meridianos y los colaterales son las vías de los cambios patológicos que surgen entre los órganos Zang-Fu y los tejidos de la superficie del cuerpo. Los cambios patológicos de los órganos internos Zang-Fu pueden reflejarse en la superficie del cuerpo, al haber sido conducidos por los meridianos y los colaterales, y manifestarse en zonas especiales o en los orificios correspondientes. Por ejemplo, las enfermedades del hígado pueden manifestarse como distensión y dolor en ambas regiones del hipocondrio y en el abdomen inferior.

- Los meridianos y los colaterales son las vías de transmisión de los cambios patológicos de los órganos Zang-Fu. Interior y exteriormente, los órganos Zang y los órganos Fu se influencian patológicamente de forma mutua. Por ejemplo, el fuego del corazón puede descender al intestino delgado. También hay una transmisión entre los órganos Zang-Fu que no están relacionados interior-exteriormente; por ejemplo, si el hígado falla en mantener libres las vías de paso, las funciones de transporte y transformación del bazo y el estómago se verán afectadas.

Dirigir el diagnóstico de la enfermedad

• Diagnosticar la enfermedad por el meridiano, y determinar con precisión el área afectada.

Como los meridianos difieren en sus recorridos y órganos relacionados, diagnosticar y determinar el meridiano u órgano donde los cambios patológicos tienen lugar puede ser inferido del análisis de la localización de los síntomas y los signos. Por ejemplo, un dolor lumbar indica una enfermedad del riñón, mientras que un dolor en el hipocondrio puede indicar una implicación del hígado o la vesícula biliar.

• Diagnosticar la localización de la enfermedad según los puntos Shu.

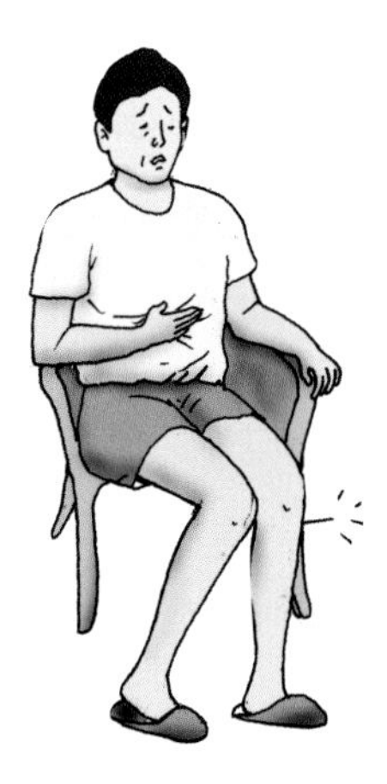

Los puntos Shu son las zonas a través de las que el qi se acumula en los meridianos. Cuando ocurren cambios patológicos en los órganos Zang-Fu, siempre hay una reacción en ciertos puntos Shu, o cambios reactivos como sensibilidad, bultos y cordón de grumos u otros cambios en ciertas partes del cuerpo. Así pues, esas reacciones patológicas pueden ser de ayuda en el diagnóstico. Por ejemplo, un paciente con una alteración del estómago puede tener un dolor obvio en V 21 (wèi shù) y en E 36 (zú sān lǐ).

Guiar el tratamiento

a) Seleccionar puntos a lo largo de los meridianos.

Para obtener un buen efecto terapéutico cuando tratamos cambios patológicos en ciertos meridianos u órganos Zang-Fu, los métodos de acupuntura y tui na usan puntos locales, cerca del área afectada, o bien usan puntos distales a lo largo de los meridianos, a fin de regular las actividades funcionales del qi y de la sangre de los meridianos. Para elegir los puntos correctos, primero se deben seguir las indicaciones de la teoría de los meridianos y la diferenciación.

• La terapia con hierbas también cuenta con la teoría de los meridianos.

Las hierbas tienen efecto a lo largo de los meridianos, a través de los cuales son transportadas hasta la zona afectada. Sobre la base de una práctica clínica de muchos años, los antiguos doctores crearon una teoría llamada los «canales de entrada». Se trata de la específica selectividad de las hierbas para uno o más meridianos, así como la creación de la teoría de la acción guía de los meridianos. Por ejemplo, qiāng huo (*Rizoma et Radix notopterygii*) puede tratar el dolor de cabeza del meridiano taiyang; bái zhǐ (*Radix Angelicae Dahuricae*) combate el dolor de cabeza del meridiano yangming; mientras que chái hú (*Radix bupleuri*) trata dolor de cabeza del meridiano shaoyang. Esas tres hierbas no solo pertenecen a los meridianos de taiyang, yangming, y shaoyang de la mano y el pie respectivamente, sino que también pueden guiar a otras hierbas a través de esos meridianos, a fin de alcanzar un mejor efecto terapéutico.

Capítulo 5

Constitución

La medicina china enfatiza el concepto de que diferentes personas tienen diferentes constituciones.

El concepto de constitución

La constitución física se refiere a la estructura física de la persona durante el curso de su vida. Los factores congénitos y los adquiridos determinan las manifestaciones de la estructura corporal, las funciones fisiológicas y las actividades psicológicas, reflejadas en la constitución de cada uno como unas características integradas y relativamente estables. Esto significa que las características físicas y mentales de cada individuo se basan en características fisiológicas humanas comunes.

La formación de la constitución

La formación de la constitución está afectada por varios factores.

Los factores congénitos

La constitución congénita, también llamada dotación natural, se refiere a todas las características heredadas de los progenitores antes del nacimiento. Los factores congénitos son el fundamento en la formación de la constitución de cada uno. El incremento y la disminución del qi esencial reproductivo de los padres, determina la fuerza y la debilidad de la constitución de sus hijos.

Los factores adquiridos

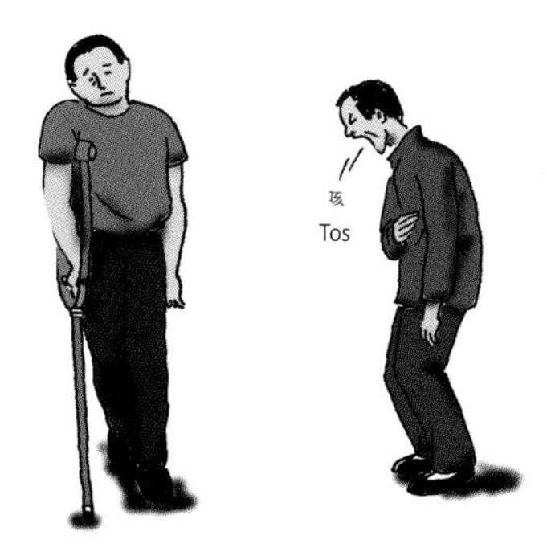

La constitución adquirida se refiere a los procesos en la vida de una persona desde el nacimiento hasta la muerte. Estos se dividen en internos y ambientales. Los factores internos incluyen la dieta, el trabajo y el reposo, el matrimonio y la procreación, el ejercicio físico, las enfermedades y los cambios emocionales. Los factores ambientales se refieren al lugar donde viven las personas, e incluye la forma de vida básica y las condiciones de trabajo, higiene, clima, reglas sociales, medio ambiente ecológico y valores educativos.

La dieta

La nutrición obtenida de los alimentos es un factor importante que decide la fuerza y la debilidad constitucional. Una dieta adecuada y unos buenos hábitos alimentarios benefician mantener la fuerza de la constitución. Por otra parte, una dieta pobre durante largo tiempo, una dieta inadecuada, o el deseo de comer solo ciertos tipos de alimentos, pueden afectar y cambiar la constitución. Por ejemplo, la sobrealimentación, o la comida grasa y los dulces, puede causar acumulación de humedad, dando lugar a flema, que a su vez da lugar a una constitución flema-humedad (el cuerpo obeso); mientras que una sobrealimentación con comida picante puede fácilmente producir fuego que quema los fluidos y produce una deficiencia de yin constitucional por hiperactividad de fuego (y normalmente un cuerpo delgado).

Trabajo y descanso

El trabajo incluye tanto el trabajo físico como el mental. El descanso significa el cese del trabajo, el esfuerzo o la actividad. El exceso de trabajo (que puede ser físico, mental o sexual) daña la constitución de la persona. Descansar demasiado puede causar un flujo ralentizado de qi y sangre, y una disminución de las funciones de los órganos Zang-Fu, lo que conlleva una constitución débil y varias enfermedades.

Actividades físicas

Un dicho chino dice que «La vida depende del movimiento». El ejercicio físico es una fórmula mágica para construir una constitución fuerte. Además, mejora la circulación sanguínea, promueve el metabolismo, regula la sangre, el qi y los meridianos, fortalece los músculos, y mejora la resistencia del cuerpo a las enfermedades.

Matrimonio y procreación

Un dicho chino dice que «Todo hombre y mujer adulto debe casarse». La vida sexual es una actividad fisiológica normal. La falta de actividad sexual durante largo tiempo puede dar lugar a un

deseo físico y mental insatisfecho y mal humor, lo que resulta en el flujo alterado del qi y la sangre, una debilidad constitucional, e incluso puede causar enfermedades. Por otra parte, el exceso de actividad sexual puede dañar el qi esencial y consumir la esencia y el qi del riñón, resultando también en debilidad constitucional.

Emociones

El estado mental tiene un importante impacto en la constitución. Un estado mental de felicidad mantiene la circulación normal de sangre y de qi, y también produce el suficiente qi defensivo para que el qi perverso tenga menos posibilidades de atacar al cuerpo. Por otra parte, las emociones reprimidas pueden dar lugar a un estado mental alterado, un flujo caótico del qi dinámico, y a desórdenes de los órganos Zang-Fu y de los meridianos; un qi defensivo debilitado puede dar lugar a enfermedades. Un humor depresivo, denominado estancamiento del hígado, puede fácilmente provocar cáncer. Mantener un buen estado mental beneficia al cuerpo.

Enfermedad

Las enfermedades son un factor importante en los cambios constitucionales. Bajo circunstancias normales, el cuerpo puede gradualmente restaurase a sí mismo y, tras recuperarse de la enfermedad, la constitución no tiene por qué verse afectada. Sin embargo, algunas enfermedades severas, crónicas o tísicas, así como la desnutrición, tienen efectos muy definitivos sobre la constitución. Así, daños al qi, la sangre, el yin y el yang forman factores constitucionales permanentes. Por ejemplo, pacientes con tuberculosis son principalmente del tipo constitucional

con deficiencia de yin, y aquellos con hepatitis incesante crónica son del tipo constitucional humedad-calor.

Factores diversos

Los factores ambientales

Las diferencias en los elementos de un medio ambiente físico, como el agua, el suelo y el clima, así como diferencias en el estilo de vida, pueden provocar que las personas desarrollen diferentes constituciones. Esto puede variar no solo de país a país, sino también dentro del mismo país.

El factor edad

Según pasa el tiempo, el cuerpo humano se desarrolla, cambia, y madura. Durante ese proceso, el qi esencial de los órganos Zang-Fu cambia de un estado débil a fuerte y vuelve otra vez a un estado de debilidad. Las dos fases más importantes para mantener la salud son la adolescencia y el período climatérico. La adolescencia (de los catorce a los dieciocho años de edad) es el período con cambios más rápidos en la estructura del cuerpo, las actividades fisiológicas y las funciones de los órganos. Entre los cincuenta y los sesenta años, las mujeres y los hombres entran en un estado de período climatérico respectivo.

El factor sexual

Hombres y mujeres tienen distintas características en sus constituciones. Los hombres pertenecen al yang y están dotados por un qi firme; las mujeres pertenecen al yin y tienen una cualidad suave. En general, los hombres son altos, masculinos, toscos y dinámicos; las mujeres son dulces, quietas, calmadas y más pequeñas físicamente.

Aplicación de la teoría de la constitución

La constitución y la ocurrencia de enfermedades

Si la constitución es fuerte y el qi defensivo es suficiente, el qi perverso tendrá menos posibilidades de atacar al cuerpo. Si el qi defensivo es deficiente y la constitución también lo es, las enfermedades pueden desarrollarse con facilidad.

La constitución y el cuidado de la salud

La autoconciencia del tipo constitucional de uno es importante. La gente de tipo constitucional yang debe seguir dietas frías preferentemente a las calientes. La gente de tipo constitucional yin, debe seguir dietas calientes preferentemente a las frías. Las personas obesas deben consumir alimentos ligeros, en lugar de comida grasienta y dulces. La gente de tipo constitucional con deficiencia de yin y exceso de calor debe tomar comida fría e hidratante, en lugar de comidas picantes y calientes. Las personas con depresión deben prestar atención en regular sus emociones. Así, para el ejercicio físico, como diferentes personas tienen diferentes constituciones, cada persona debe elegir el tipo de ejercicio adecuado según su fuerza física.

Capítulo 6

Etiología

La etiología es la explicación de cómo los factores patógenos causan enfermedades. La teoría de la medicina china sobre la etiología, usa el concepto del «cuerpo entero» como principio guía, y tiene un método distinto para determinar las características de la enfermedad. En primer lugar, a fin de determinar el factor patógeno, el doctor pregunta sobre el curso de la enfermedad. Por ejemplo, una pregunta es si el paciente ha estado afectado por fuerzas naturales (viento, frío, calor de verano, humedad), situaciones emocionales perturbadoras, dieta inapropiada, lesiones traumáticas y parásitos. Todos esos factores de la enfermedad son visibles y pueden ser revelados por el interrogatorio. En segundo lugar, la metáfora es reconocer los factores patógenos por analogía. Por ejemplo, las manifestaciones clínicas caracterizadas por localización errante, inestabilidad y temblores son similares al viento; los fluidos que son pegajosos, pesados, turbios y que se manifiestan en la parte baja del cuerpo son similares a la humedad. En tercer lugar, «la determinación de los factores patógenos basada en la diferenciación de síntomas y signos» es un método único para clasificar los factores patógenos en medicina china. Todas las apariciones de la enfermedad reflejan y surgen de los factores patógenos, afectando al cuerpo humano. Por ejemplo, la estasis sanguínea se manifiesta como máculas moradas en la lengua o como dolor punzante.

La etiología de la medicina china incluye las seis influencias climáticas, los factores patógenos epidémicos, las siete emociones, la dieta, el desequilibrio de trabajo y descanso, el daño traumático, la flema y la retención de fluidos, la estasis sanguínea, las piedras, los parásitos, las toxinas, el tratamiento médico incorrecto, y los factores genéticos.

Los factores patógenos externos

Los factores patógenos que proceden de la naturaleza incluyen los seis factores patógenos externos y epidémicos, que penetran en el interior del organismo a través de la piel, la boca y la nariz.

Los seis factores exógenos

Los seis factores exógenos: viento, frío, calor de verano, humedad, sequedad y fuego son realmente un término general para las seis influencias climáticas alteradas.

Viento

El viento es un factor patógeno caracterizado por las acciones de descarga y apertura, y de movimiento ascendente y hacia el exterior, que muestra su naturaleza yang. Normalmente ataca a la parte superior del cuerpo, la cabeza y la cara, así como a la piel y los músculos. Los síntomas más comunes son dolor de cabeza, aversión al viento y sudoración.

El factor patógeno viento, como el viento en la naturaleza, se mueve y cambia. Las enfermedades causadas por el factor patógeno viento están caracterizadas por su fácil movimiento de una zona a otra, como el dolor errante del síndrome Bi por viento, el rápido establecimiento y los cambios irregulares, o como el ataque esporádico de la urticaria.

Frío

El frío es un factor patógeno yin que puede fácilmente dañar el yang qi y causar su fracaso para calentar, nutrir y transformar el qi. Por ejemplo, si el frío invade la piel y los músculos, el movimiento del yang defensivo es detenido, y entonces los síntomas de aversión al frío aparecerán.

El frío está caracterizado por congelar y estancar. La invasión de frío externo causa la disfunción del yang qi en calentar y promover el movimiento, dando lugar a dolor debido al estancamiento del qi y la sangre. Por ejemplo, con síndrome bi frío hay dolor de las extremidades y el cuerpo, y con frío en el calentador medio hay dolor abdominal.

El frío se caracteriza por contraer y encoger. La invasión del frío externo en el cuerpo puede impedir el mecanismo de qi, dando lugar al cierre de los poros, espasmos de los ten-

dones y vasos, y manifestarse por falta de sudoración y dificultad de movimiento en los miembros.

Calor de verano

El calor de verano es un factor patógeno yang, y es caliente por naturaleza. El síndrome calor es comúnmente visto con el ataque de calor de verano. Los síntomas incluyen fiebre elevada, sensación de quemazón en la piel, sed, sudor, y un pulso que es amplio y rápido.

El calor de verano se caracteriza por ascender y dispersar, y puede herir con facilidad los fluidos del cuerpo, y consumir el qi. El calor de verano puede causar la apertura de los poros, causando sudoración profusa y dando como resultado el deterioro de fluidos corporales. Si los síntomas como sed, orina escasa y amarilla, aparecen simultáneamente con consumo de qi y pérdida de fluidos corporales, esto puede dar lugar a falta de respiración, lasitud e incluso desmayo repentino y pérdida de la conciencia.

El calor de verano suele ir acompañado con el factor patógeno humedad. La estación de verano caliente es lluviosa, húmeda y muy caliente. Cuando el calor de verano se combina con la humedad, los síntomas comunes son fiebre, opresión en el pecho, disgusto, miembros pesados, sensación sofocante en el pecho, vómitos, náuseas y heces acuosas.

Humedad

La humedad es un factor patógeno yin, que fácilmente obstruye el mecanismo del qi y daña el yang qi. El patógeno humedad impide el mecanismo normal del qi de ascenso, descenso, salida y entrada, dando como resultado síntomas que incluyen una sensación de opresión en el pecho, globus, orina escasa y dificultosa, y defecación molesta e incompleta.

La humedad tiene la característica de pesada, turbia y descendente. Los síntomas de las enfermedades relacionadas con la humedad son turbidez y suciedad, y normalmente se localizan en la parte inferior del cuerpo.

La humedad también se caracteriza por ser pegajosa y producir estancamiento, por lo que las enfermedades relacionadas con la humedad tienden a acumularse; las afecciones relacionadas con

la humedad son persistentes, prolongadas, con frecuencia recurrentes y difíciles de curar; por ejemplo, el síndrome bi por humedad suele derivar en eccema y enfermedades por humedad y calor.

Sequedad

La sequedad se caracteriza por secar y resecar, y consume y daña los fluidos corporales con facilidad. Los síntomas comunes son sequedad en la boca, la nariz y la garganta; sed, piel seca y roja, pelo desnutrido, orina escasa y seca, y heces duras.

La sequedad daña fácilmente el pulmón y consume sus fluidos. Los síntomas son tos seca con poca flema, flema pegajosa que es difícil de expectorar, esputos con sangre, asma y dolor en el pecho.

Fuego

El fuego es un factor patógeno yang caracterizado por ascender. Cuando el factor patógeno fuego ataca al cuerpo, puede dar lugar a fiebre elevada, sed con intranquilidad, sudor y pulso amplio y rápido. Cuando las llamas del calor ascienden, habrá alteraciones mentales y provocará disgustos, manías, comportamiento imprudente, coma y discurso delirante.

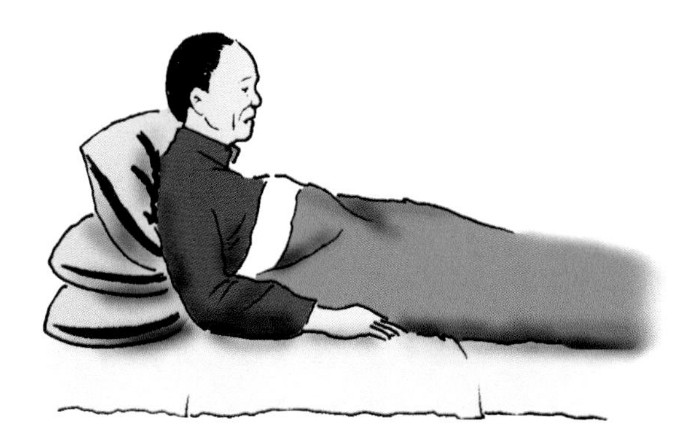

El fuego consume fácilmente el qi y daña el yin, además de deteriorar directamente el qi defensivo, o indirectamente, al dañarlo por el consumo de fluidos corporales. Aparecerá fiebre elevada junto con sudor y sed, que dañan el yin, además de signos de deficiencia de qi, como energía debilitada, pereza para hablar y debilidad de los cuatro miembros.

El fuego fácilmente genera viento y agita la sangre; también consume los fluidos corporales, causando falta de nutrición en tendones y vasos. También puede dar lugar a viento interno del hígado, con agitación del viento, causando fiebre elevada, coma, espasmos y opistótonos (espasmos del cuerpo donde la cabeza y los talones están doblados hacia atrás y el cuerpo está inclinado ha-

cia delante). El factor patógeno fuego puede dañar los vasos sanguíneos, ya que al calentarlos de tal forma provoca que la sangre se salga de su camino, dejando varios tipos de hemorragias como vómitos de sangre, epistaxis, sangre en las heces u orina rojiza.

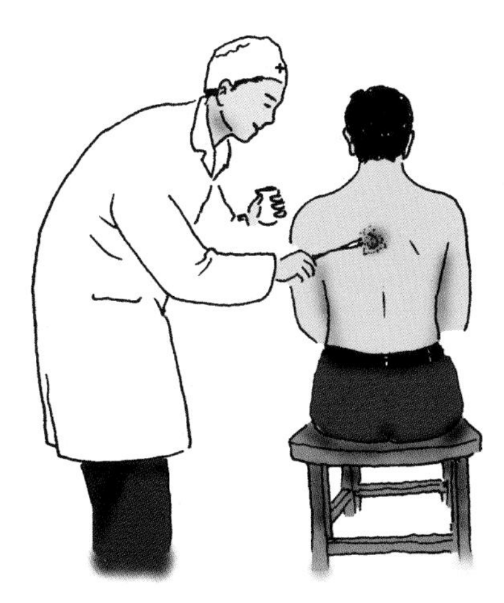

Cuando el factor patógeno fuego penetra en la sangre, puede estancarse en una área particular, erosionar la sangre y la carne, y provocar llagas y úlceras.

Los factores patógenos infecciosos

Los factores patógenos infecciosos son una enfermedad externa con alto grado de contagio, caracterizados por la rápida expansión. Los motivos para este tipo de enfermedades epidémicas incluyen, en primer lugar, los factores climáticos y los cambios anormales en el clima, como sequía duradera, extremado tiempo caluroso, inundaciones medioambientales, humedad, niebla y miasma.

En segundo lugar, el medio ambiente, la dieta y la higiene, la contaminación del aire, el agua o la comida en mal estado.

En tercer lugar, la inefectiva prevención y aislamiento de la enfermedad.

El último es el factor social, como guerra, hambruna desastrosa, agitación social, escaso trabajo y condiciones de vida deficientes, y falta del desarrollo de facilidades para la prevención de enfermedades.

Causas de las enfermedades debidas a daño interno

Lo opuesto a los patógenos externos incluye una dieta inapropiada, las siete emociones, y el exceso de trabajo o el descanso excesivo.

Dieta inapropiada

La dieta es muy importante para mantener una salud normal, ya que es la base para la transformación de la comida y la bebida en esencia, qi y sangre. Una dieta inapropiada es una patología común; su significado incluye hambre excesiva, comer en exceso, consumo de alimento o bebida en mal estado o solo un tipo de sabor, temperatura o tipo.

Un hambre excesiva y comer en exceso pueden provocar deficiencias de qi y sangre; y después de un tiempo, aparecerá la enfermedad. Comer y beber demasiado daña el bazo y el estómago (sistema digestivo), causando distensión abdominal, pérdida de apetito, vómitos y diarrea.

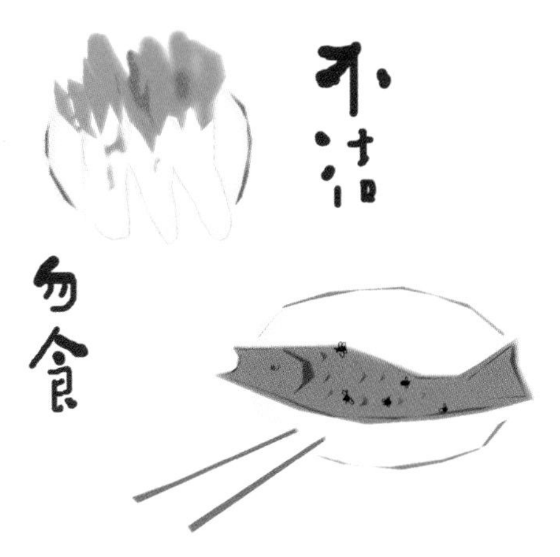

Comer y beber alimentos en mal estado puede provocar muchos tipos de enfermedades de los intestinos y del estómago, con síntomas como dolor abdominal, vómitos, diarrea, disentería e incluso enfermedades parasitarias.

La preferencia por comidas y bebidas crudas o frías puede dañar el yang qi del bazo, provocando el síndrome de frío-humedad con síntomas como dolor abdominal y diarrea. La preferencia por comida caliente, picante y seca, como la pimienta, puede provocar acumulación de calor en el estómago y los intestinos con síntomas como estreñimiento o hemorroides.

La preferencia por comida grasa, rica y dulce puede provocar calor interno que causa absceso tóxico, úlceras o llagas.

Beber demasiado alcohol provocará un estado de intoxicación de alcohol que ataca al corazón y que se manifiesta con pérdida de la conciencia.

Daño interno por las siete emociones

Las siete emociones son la alegría, la ira, la preocupación, la reflexión, la pena, el susto y el miedo. Bajo condiciones normales, las siete emociones representan sentimientos y reacciones normales y no causan enfermedades. Cuando hay una alteración emocional, que es repentina, fuerte o durante mucho tiempo, las siete emociones normales cambiarán a excesiva alegría, rabia, melancolía, pensamiento excesivo, pesar, susto severo y susto repentino. Esas emociones pueden superar la resistencia fisiológica de una persona, alterar la función de los órganos Zang-Fu, y dar lugar a los siete factores patógenos.

La alegría se refiere al órgano corazón y ralentiza el descenso de qi; la alegría excesiva dispersa el qi de corazón, esto se manifiesta como incapacidad para concentrarse y manía en casos severos.

La ira se relaciona con el hígado y hace ascender al qi; la rabia puede hacer que el qi y la sangre vayan hacia arriba donde bloquean los orificios superiores y causan coma.

La reflexión se relaciona con el bazo y estanca el qi; pensar en exceso daña tanto el corazón como el bazo, lo que se manifiesta como palpitaciones, olvido, insomnio, muchos sueños, indigestión, disminución del apetito y distensión abdominal.

La pena se relaciona con el pulmón y dispersa el qi; la melancolía consume el qi del pulmón, que se manifiesta como opresión torácica, falta de respiración, abatimiento y fatiga.

El miedo se relaciona con el riñón y hace descender el qi; un miedo repentino o prolongado puede causar que el qi del riñón no se consolide, manifestándose como incontinencia urinaria y fecal, emisiones seminales y diarrea frecuente.

Trabajo en exceso y descansar demasiado

Una cantidad normal de trabajo y ejercicio físico puede ayudar a la circulación del qi y la sangre, dando un buen estado de salud. El descanso restaura la fuerza física y mental. Un equilibrio adecuado entre trabajo y descanso es importante para mantener la salud. Sin embargo, el exceso de trabajo o demasiado descanso (físico o mental) durante largo tiempo causará enfermedades. Un exceso de trabajo físico se refiere a un sobreesfuerzo de trabajo físico durante un largo período de tiempo, que puede dañar el qi y generar deficiencias, que se manifiestan como falta de fuerza, debilidad mental, pérdida de peso, extremidades pesadas y fatigadas, falta de ganas de hablar, pereza y falta de aliento tras el ejercicio físico.

Un exceso de trabajo mental se refiere a pensar demasiado, lo que daña la sangre del corazón y el qi del bazo. Los síntomas relacionados con el corazón son palpitaciones, amnesia, insomnio y muchos sueños; los relacionados con el bazo incluyen indigestión y pérdida del apetito, distensión abdominal y pérdida de heces.

La actividad sexual excesiva puede dañar la esencia del riñón fácilmente. Los síntomas relacionados son dolor y debilidad en la zona lumbar y las rodillas, mareos, tinnitus, abatimiento, impotencia, reducida cantidad seminal, emisiones nocturnas y eyaculación precoz.

Demasiado descanso causa flujos alterados del qi y la sangre, dando debilidad en la función del bazo y el estómago, que se manifiesta con una disminución del apetito, fatiga, depresión mental, miembros débiles, aumento de peso, palpitaciones, falta de aliento y sudoración.

Causas de la enfermedad debida a los subproductos patológicos

Los subproductos patológicos se forman durante el proceso de la enfermedad, y ellos mismos pueden causar nuevas enfermedades. Hay tres categorías: flema y fluidos, estasis de sangre y piedras.

Flema y fluidos

La flema y los fluidos son subproductos patológicos. Son producidos por varios tipos de factores de la enfermedad que afectan al cuerpo y causan problemas en el metabolismo de líquidos, provocando el bloqueo en los meridianos, el qi y la sangre, así como una función alterada de los órganos Zang-Fu.

Por lo general, la flema es espesa y turbia, mientras que los fluidos son ligeros y limpios.

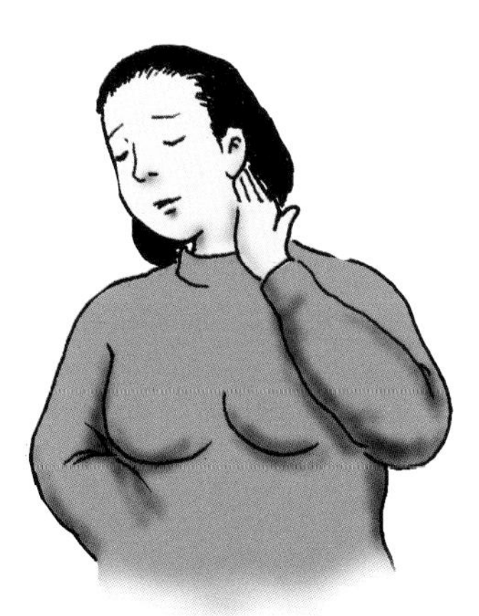

La flema se clasifica de dos formas: la visible y la invisible. La forma visible puede ser oída y tocada. La flema no solo se expulsa del cuerpo, como el esputo al toser, sino que también puede permanecer en el interior del cuerpo en forma de escrófula o nódulos.

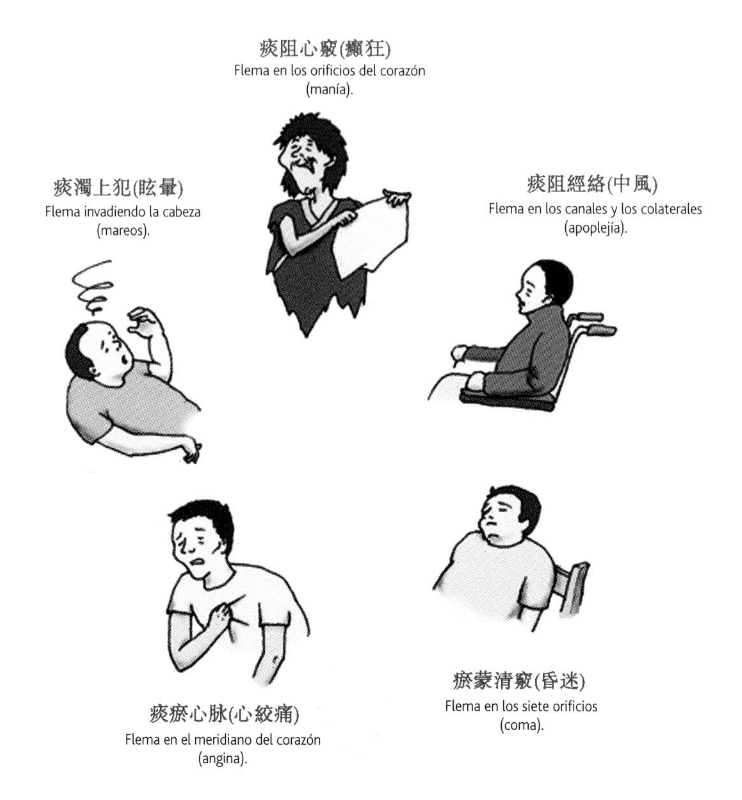

La flema invisible no puede ser tocada, sigue el mecanismo del qi y puede estar en cualquier parte del cuerpo. Los síntomas comunes son vértigos, mareos, palpitaciones, falta de aliento, náuseas, vómitos y habla delirante. Hay dos famosos dichos: «Muchas enfermedades son causadas por flema» y «Enfermedades extrañas son flema».

Yin (retención de líquidos) se refiere a las enfermedades debidas a la acumulación de agua en ciertas partes del cuerpo, e incluye cuatro tipos: retención de fluidos en los intestinos que causa borborigmos (sonidos intestinales), y se denomina flema yin. Yin en el pecho e hipocondrio, que causa distensión y sensación de plenitud, y dolor al toser con saliva; se denomina suspensión yin. Yin en el pecho y el diafragma, que causa sensación de sofoco en el pecho, asma y ortopnea (dificultad para respirar cuando se está tumbado), y se denomina apuntalamiento yin. Yin en los músculos y piel, que causa edema, anhidrosis (ausencia de sudor), y dolor corporal, y es denominado derrame yin.

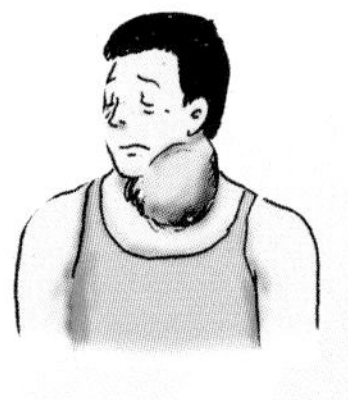

Estasis sanguínea

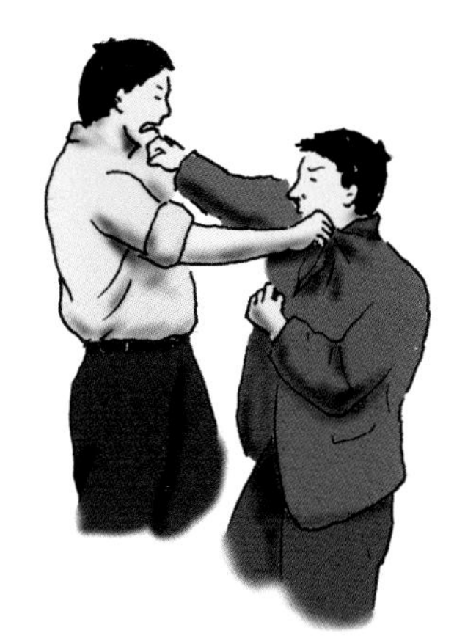

La estasis de sangre es el estancamiento de la circulación de la sangre en el cuerpo y puede encontrarse fuera y dentro de los meridianos, y también en las vísceras. Los factores en la formación de la estasis sanguínea pueden ser, en primer lugar, una circulación alterada debido a la deficiencia de qi, un estancamiento del qi, y el frío o calor en la sangre. En segundo lugar, una hemorragia debida a la deficiencia de qi y la imposibilidad de mantener la sangre en los meridianos y los vasos, o una hemorragia causada por calor en la sangre.

Características de la estasis sanguínea

a) La estasis sanguínea bloquea el movimiento de qi; este depende de la sangre para ser transportado por todo el cuerpo. Después de que la estasis sanguínea ha sido formada, no solo el qi falla en su función de nutrir el cuerpo, sino que también la estasis sanguínea obstruye ciertas partes del cuerpo e influye en el flujo del qi, según el dicho «la estasis sanguínea debe estar acompañada de estancamiento del qi».

b) La estasis sanguínea, que obstruye la circulación de sangre, es un factor patógeno excesivo con forma. Puede causar alteración en el transporte de la sangre en ciertas partes del organismo, o en el cuerpo entero, y obstruir la función normal de las vísceras. Por ejemplo, la estasis sanguínea en el corazón causa síndrome bi en el pecho; en el hígado provoca dolor en el hipocondrio y los nódulos; y en el útero produce dismenorrea y amenorrea.

Síntomas característicos de la estasis sanguínea

Las manifestaciones de la estasis sanguínea pueden resumirse en las siguientes:

a) Dolor, normalmente dolor punzante, fijo, con aversión a la presión.

b) Nódulos que pueden ser de color azul o morado, debido a la acumulación de sangre en el cuerpo.

c) Hemorragia; el color de la sangre es morado oscuro y puede haber también coágulos de sangre.

d) Características de la tez en la inspección; tez, labios piel, uñas y lengua de color azul o morado debido a la estasis de sangre; además, hay manchas de estasis, máculas en la lengua o venas sublinguales, que son de color morado o azul. La estasis sanguínea durante largo tiempo se manifiesta como una tez delgada y una piel seca.

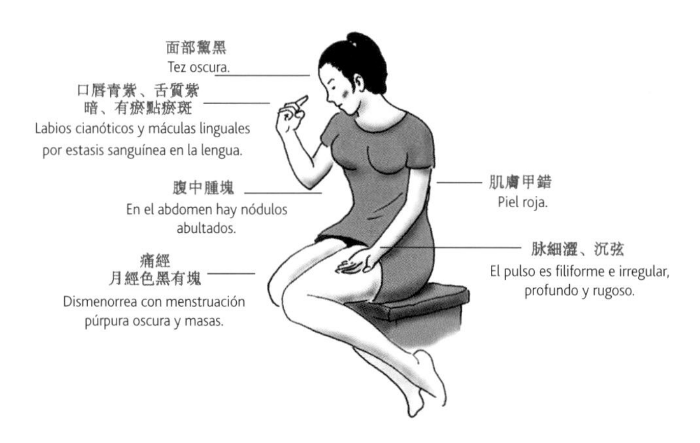

e) El pulso es normalmente filiforme y rugoso, profundo y rugoso, o anudado e intermitente.

Piedras

Las piedras son subproductos patológicos, generados a partir de la retención prolongada de humedad, calor y factores patogénicos turbios. Los órganos comunes donde las piedras suelen encontrarse son el hígado, la vesícula biliar, la vejiga y el estómago.

La formación de las piedras es causada por una dieta inadecuada, comer alimentos grasientos, dulces y grasos en exceso, daños internos por desequilibrio en las emociones, lo que causa un flujo irregular del qi del hígado, deficiencia del qi de la vesícula biliar, que afecta a la capacidad de diseminar y acumular calcio, magnesio y bismuto, o bien otros factores patógenos, como materias turbias, agua-humedad y calor, que también pueden dar lugar a la formación de piedras.

Las características patógenas de las piedras son que aparecen frecuentemente en la cavidad de las vísceras, como la vesícula biliar, la pelvis renal, el uréter, la vejiga urinaria y el estómago. Presentan un largo desarrollo de la enfermedad y una amplia gama de síntomas, y fácilmente provocan un estancamiento del qi dinámico, así como daños a los colaterales y los vasos. Cuando los síntomas aparecen, causan dolor intermitente, que puede ser severo y difícil de soportar, aunque cuando es aliviado, el paciente se siente sano.

Factores patógenos diversos

En la etiología de la medicina china, además de las seis influencias climáticas, los factores patógenos epidémicos, el daño interno por las siete emociones, la dieta inapropiada, el exceso de trabajo y demasiado descanso, también se incluyen los traumatismos, el tratamiento incorrecto, los daños por animales, parásitos, venenos y factores genéticos.

Capítulo 7

Patogénesis

Entre los seres humanos y la naturaleza hay un equilibrio dinámico constante, denominado equilibrio de yin y yang. Cuando yin y yang no están en armonía, la enfermedad aparece.

La aparición de la enfermedad y los cambios que lleva implicados suponen dos factores: zhèng y xié. Zhèng, llamado el qi defensivo, se refiere a las funciones físicas humanas, así como a su resistencia a la enfermedad y la capacidad de recuperarse.

Xié, también llamado el qi perverso, se refiere a varios tipos de factores patógenos. La aparición y el desarrollo de la enfermedad es la lucha entre el qi defensivo y el qi perverso.

La deficiencia de qi defensivo es la principal causa interna del desarrollo de la enfermedad. Por lo general, solo cuando el qi defensivo es relativamente débil y falla en la resistencia ante el ataque del qi perverso, sucede que el qi perverso toma ventaja de esta debilidad e invade el cuerpo, causando la enfermedad.

El qi perverso es una causa importante de la aparición de la enfermedad. La medicina china resalta el qi defensivo y su papel destacado en la patogénesis, sin embargo, no excluye la importancia de la influencia del qi perverso como causa de la enfermedad. Cuando el qi perverso está en un estado de extremo predominio, el qi defensivo es fácilmente dañado, provocando la enfermedad. Por ejemplo, el factor patógeno epidémico (qi perverso), en un corto período de tiempo, puede, de forma simultánea, causar enfermedad en muchas personas.

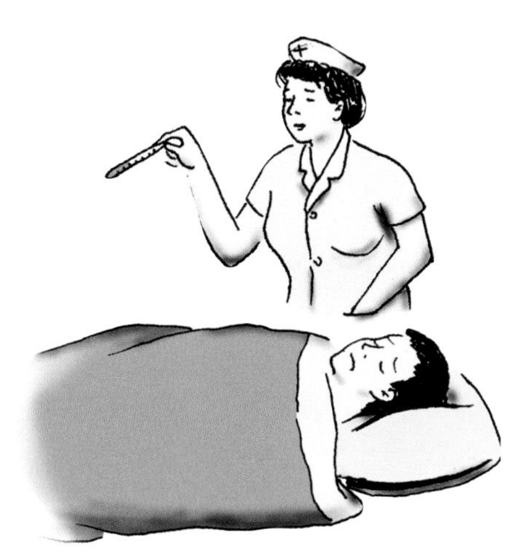

La lucha entre el qi defensivo y el qi perverso determina el pronóstico y la recuperación de la enfermedad. Si el qi defensivo es más fuerte que el qi perverso, el pronóstico es favorable y la enfermedad será curada; si el qi perverso es más fuerte que el qi defensivo, el pronóstico es desfavorable y el paciente podría incluso morir.

La aparición de la enfermedad está estrechamente relacionada con el medio ambiente. La aparición de varias enfermedades y la recaída de ciertas enfermedades crónicas están relacionadas con las estaciones. En primavera, las enfermedades están relacionadas con el viento. En verano, las

enfermedades se relacionan con el calor de verano. En otoño, las enfermedades están vinculadas con la sequedad. Y en invierno, las enfermedades se corresponden con el frío.

Condiciones ambientales de vida pobres, como residuos industriales, gases y agua contaminada, causan contaminación para el medio ambiente y para los recursos acuáticos, que de forma directa o indirecta dañan el qi defensivo del organismo.

Patogénesis fundamental

La patogénesis fundamental se refiere a la reacción patológica fundamental del cuerpo humano cuando es afectado por los factores patógenos. Este principio general refleja el cambio de la naturaleza de la enfermedad. Las dos partes principales de la patogénesis son el exceso y la deficiencia de qi defensivo y de qi perverso, el desequilibrio de yin y yang.

La relación entre la lucha del qi defensivo y del qi perverso, y los cambios de deficiencia y exceso de la enfermedad

Síndrome de exceso

Durante el proceso de la enfermedad, la lucha entre el qi defensivo y el qi perverso (factores patógenos), determina la condición de la enfermedad y el cambio (deficiencia o exceso). El síndrome de exceso indica sobre todo un exceso de qi perverso. Si el qi defensivo es relativamente fuerte cuando el qi perverso ataca al cuerpo, la lucha entre ambos será intensa. Clínicamente, durante las condiciones de exceso hay una serie de reacciones patológicas como hiperfunción, excedente y obstrucción. El qi patógeno es como un enemigo agresivo que ataca al cuerpo (el qi defensivo), que se defiende. Cuando ambas partes están luchando, es similar al estruendo de los fusiles y aparece una nube de humo flotando sobre ellos. Este tipo de síndrome de exceso es el más visto en las etapas iniciales y medias de una enfermedad patógena externa, y suele durar poco tiempo. Las manifestaciones clínicas son fiebre elevada, manía, voz alta y respiración agitada, dolor abdominal con aversión a la presión, retención de orina, estreñimiento y pulso fuerte y en exceso.

Síndrome de deficiencia

El síndrome de deficiencia se debe principalmente a la insuficiencia de qi defensivo. Cuando el qi defensivo es deficiente, su capacidad para combatir la enfermedad, disminuye. Por lo gene-

ral, en una condición de deficiencia, el qi perverso no está en exceso, por tanto la lucha entre el qi defensivo y el qi perverso no es tan intensa. Se asemeja a la situación después de la guerra, donde los dos lados (el qi perverso y el qi defensivo) están exhaustos. Clínicamente, durante esta condición de deficiencia hay reacciones patológicas como disminución, debilidad e inseguridad; por ejemplo, debilidad de espíritu y fatiga, tez pálida, palpitaciones y respiración corta, sudoración espontánea, sudores nocturnos, miembros fríos, y el pulso es deficiente y débil.

Desequilibrio de yin y yang

Cuando el balance y la coordinación entre yin y yang se pierden, el término «yin y yang en equilibrio» se convierte en una condición patológica.

Dominio relativo de yin o yang

a) Dominio de yang

Durante el proceso de la enfermedad hay una condición patológica cuando el yang qi está en exceso; así el cuerpo está en hiperfuncionamiento, y el calor es excesivo. Los síntomas comunes son fiebre elevada, cara roja, garganta seca y sed, orina escasa, estreñimiento (por el daño a los fluidos yin).

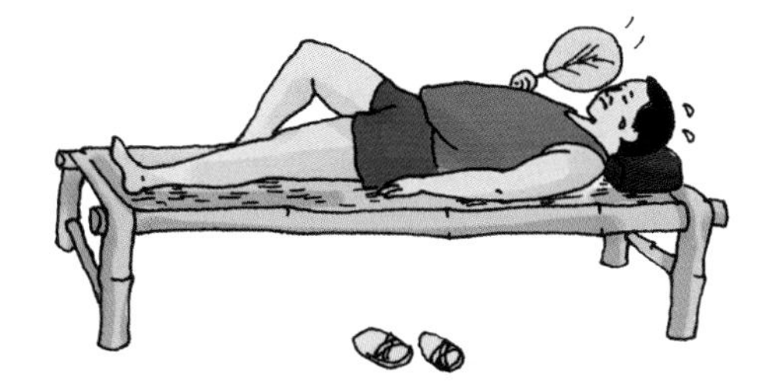

b) Dominio de yin

Durante el proceso de la enfermedad, hay una condición patológica cuando el yin qi resulta excesivo que se manifiesta con alteraciones de los órganos internos, falta de energía generada, y acumulación de productos yin fríos. Por ejemplo, la transformación del exceso de yin (como el frío severo en invierno), provocará daños al yang qi. Por tanto, cuando ocurre el exceso de yin, hay dolor y frío abdominal o de los miembros, y al mismo tiempo, hay debilidad de espíritu, fatiga, aversión y miembros fríos (por la insuficiencia de yang qi).

Relativa debilidad de yin o yang

Deficiencia de yang

Una relativa debilidad de yang indica una condición patológica en la que el yang qi es insuficiente, y por lo tanto las funciones del cuerpo se debilitan, y hay una preferencia por el calor. Clínicamente, los síntomas son aversión al frío y preferencia por el calor, debilidad de espíritu, fatiga, miembros fríos, lengua pálida, y pulso lento. Por ejemplo, las personas mayores con el cuerpo débil, suelen temer al frío y tener los miembros fríos.

Deficiencia de yin

Una debilidad relativa de yin indica pérdida de la esencia, la sangre, los fluidos corporales, y una disminución en la función de nutrición (por la insuficiencia de fluidos yin). Los síntomas comunes son calor en los cinco soles –sensación de calor en el pecho, las palmas de las manos y la planta de los pies–, fiebre vespertina, sudores nocturnos, cara roja, emaciación, lengua roja con poca capa, pulso filiforme y rápido. Suele producirse en la etapa de la menopausia.

Capítulo 8

Cuidado de la salud y principios de prevención y tratamiento

Los principios del cuidado de la salud

El cuidado de la salud significa la conservación de la vida, la cual adopta varios métodos para preservar el cuerpo, fortalecer la constitución, prevenir enfermedades, mejorar la salud y prolongar la vida. Incluye los siguientes aspectos.

Correspondencia con la naturaleza

Todas las actividades vitales del cuerpo siguen leyes objetivas y cambios naturales. Tomando varias medidas podemos lograr la prevención de la enfermedad, la protección de la salud y prolongar la vida.

Preservar el cuerpo y el espíritu

La medicina china cree que la tranquilidad alimenta el espíritu, mientras que el movimiento alimenta al cuerpo. La relajación y la práctica de qi gong pueden mantener un estado mental de paz y felicidad. El ejercicio físico, el movimiento, caminar, trabajar y el masaje pueden liberar los meridianos y promover la circulación de qi y sangre.

Regular la alimentación del bazo y el estómago

El estado de fuerza o debilidad del bazo y el estómago es un factor importante en la salud y longevidad. La clave para regularlos y alimentarlos es equilibrar la cantidad y la temperatura de las comidas, y tener unos conocimientos de nutrición e higiene. A fin de mantener el buen funcionamiento del bazo y el estómago, es necesario comer alimentos suficientes y equilibrados.

Proteger la esencia y guardar el riñón

La esencia es una sustancia básica para el desarrollo. La esencia, el qi y el espíritu son los tres tesoros, la raíz de la salud, la longevidad y la llave para la protección de la salud. Así, proteger la esencia depende de proteger la esencia del riñón. La clave para proteger la esencia del riñón es prevenir el exceso de actividad sexual. Una vida sexual normal puede dejar abundancia de esencia del riñón, y suficiente qi y espíritu, lo que beneficia al cuerpo y la mente.

Los principios de prevención

La prevención de las enfermedades se entiende como las medidas tomadas para evitar la aparición y el desarrollo de las enfermedades. *El clásico de medicina interna del Emperador Amarillo* (Huáng Dì Nèi Jīng) afirma que el tratamiento preventivo de las enfermedades contribuyó al desarrollo de la medicina preventiva en las últimas generaciones. En la medicina china, el concepto de medicina preventiva es un principio de tratamiento importante. La prevención toma medidas para evitar la enfermedad antes de que aparezca. Las enfermedades aparecen debido a los ataques de qi perverso del exterior, o por un qi defensivo insuficiente en el interior. Por tanto, el fortalecimiento del qi defensivo y la mejora de la resistencia del cuerpo a la enfermedad son incluso más importantes que prevenir los ataques del qi perverso.

Fortalecer el qi defensivo y la resistencia del cuerpo al qi perverso

El estado de fuerza o debilidad del qi defensivo depende de la constitución. Generalmente, el qi defensivo de las personas saludables y fuertes es abundante, y las personas débiles tienen insuficiencia de qi defensivo. Por tanto, fortalecer el cuerpo es la clave para incrementar el qi defensivo y la capacidad del cuerpo para resistir los ataques del qi perverso. A fin de aumentar la resistencia del organismo a la enfermedad, es importante mantener una dieta equilibrada, una actividad física diaria, un estado emocional normal y realizar ejercicio físico para vivir según las leyes de la naturaleza, así como tomar hierbas adecuadas para prevenir enfermedades.

Estado emocional normal

La medicina china cree que la estimulación mental repentina, fuerte y repetida, puede causar alteraciones del mecanismo del qi, provocando desórdenes del yin, yang, qi y sangre, y por tanto provocar enfermedades. La estimulación mental también puede dar insuficiencia de qi defensivo y permitir la entrada de patógenos externos. Por tanto, mantener un estado de felicidad puede disminuir la aparición de situaciones mentales perjudiciales y cambios emocionales excesivos. Las funciones fisiológicas vitales y el equilibrio del qi y la sangre generan una abundancia del qi defensivo y una fuerte capacidad para resistir al qi perverso. Todo ello puede prevenir la aparición de las enfermedades.

Dieta y actividades de la vida diaria

Las medidas para prevenir la aparición de la enfermedad son regular las actividades de la vida diaria, la dieta y el trabajo. Regular la dieta significa ingerir cantidades adecuadas de alimentos y líquidos, consumir comidas de los cinco sabores y mantener una buena higiene de los alimentos. Comer en exceso, o de forma insuficiente, o un consumo excesivo de un sabor determinado, puede dañar el bazo y el estómago. Las actividades diarias deben ser coordinadas con los cambios de las cuatro estaciones. Un tiempo establecido para dormir, caminar, trabajar, estudiar, descansar y realizar ejercicio puede mejorar la capacidad para adaptarse a los cambios naturales y prevenir el ataque del qi patógeno.

Ejercicio físico

El ejercicio físico puede fortalecer la constitución y mejorar la resistencia a las enfermedades. Los ejercicios tradicionales chinos para mejorar la salud, como el taichi, el qi gong, el yi jin jing y el ba duan jin, no solo fortalecen la constitución y previenen enfermedades, sino que también tratan muchas afecciones.

Inmunidad

La inmunidad es un importante método de fortalecer el qi defensivo, y prevenir las enfermedades infecciosas. La vacunación puede mejorar la resistencia al qi perverso y prevenir enfermedades.

Prevenir el ataque del qi perverso y prevenir la aparición de la enfermedad

Prevenir ataques del qi perverso

Primero es necesario prevenir los ataques del qi perverso, lo que incluye mantener una buena higiene, proteger el medio ambiente, disponer de agua y alimentos en buen estado, vestirse adecuadamente y acorde al tiempo, evitar daños externos, las mordeduras o el veneno de animales o insectos.

Medicina preventiva

El clásico de medicina interna del Emperador Amarillo (Huáng Dì Nèi Jīng) afirma que las hierbas pueden prevenir las enfermedades infecciosas. En la actualidad, en la clínica las hierbas son usadas de la misma manera. Por ejemplo, bǎn lán gēn (*Radix isatidis*) y dà qing yè (*Folium isatidis*) son usadas para prevenir la gripe, la meningitis cerebroespinal epidémica y el SRAS; yīn chén (*Herba Artemisiae Scopariae*) y zhī zǐ (*Fructus gardeniae*) se utilizan para prevenir la hepatitis; dà suàn (*Bulbos alli* –1985–) y mǎ chǐ xiàn (*Herba portulacae*) sirven para prevenir la disentería. Las hierbas también pueden eliminar enfermedades, y los métodos de inhalaciones a partir de hierbas, bolsas y baños medicinales con técnica de frotación son fáciles de aplicar.

Los principios del tratamiento

Los principios del tratamiento son las reglas básicas de tratar las enfermedades. Están formuladas bajo el concepto de integración, diferenciación de síndromes y tratamiento. Esas reglas son los principios a seguir comunes en la clínica, para el uso de prescripciones, hierbas y demás aplicaciones.

Las perspectivas del tratamiento médico chino

Tratar la raíz

Tratar la raíz es un principio a seguir en la medicina china. Su clave es ver la apariencia de la enfermedad bajo su verdadera naturaleza, y distinguir la etiología y el mecanismo patológico en el

proceso de cambios patológicos de una enfermedad complicada. Al mismo tiempo, es efectivo resolver las principales características contradictorias de las enfermedades.

Tratamiento preventivo de la enfermedad

• Prevención de la enfermedad

Tomar medidas preventivas de forma previa para evitar la enfermedad se realiza mediante el fortalecimiento de la constitución y mejorando la resistencia a la enfermedad. También hay que prestar atención a los ataques y los daños del qi perverso. Cuando el cuerpo no está sano, es necesario fortalecer la salud y tomar medidas preventivas.

• Prevenir la progresión de la enfermedad

Si la enfermedad ya ha aparecido, se debe diagnosticar y tratar con rapidez, a fin de prevenir su progreso y transmisión.

Tratar el espíritu antes de tratar las enfermedades

La terapia mental, también llamada terapia emocional o terapia psicológica, es a menudo usada en el tratamiento del espíritu. Tiene por objeto afectar a la cognición, la emoción y las acciones de los pacientes, a través del discurso, las acciones, las emociones... También puede ser un tratamiento para tranquilizar pacientes, regular la salud y las funciones mentales y promover la recuperación de la enfermedad.

Mantener el equilibrio

La salud es el resultado de un equilibrio entre el yin y el yang, mientras que la enfermedad es un estado de desequilibrio entre ellos. A la luz del concepto de la medicina china de ver el cuerpo como un todo, medicinas, acupuntura y tui na son las técnicas usadas para alcanzar el objetivo del tratamiento, que es el equilibrio de yin y yang y a la armonía del exterior y el interior.

Principios del tratamiento básico

Eliminar el qi perverso y reforzar el qi defensivo

El curso de una enfermedad es la lucha entre el qi defensivo y el qi perverso. Cuando el qi perverso reprime al qi defensivo, el pronóstico de la enfermedad es desfavorable. Cuando el qi defensivo reprime al qi perverso, la enfermedad desaparecerá.

Fortalecer el qi defensivo trata el síndrome de insuficiencia, cuando la deficiencia de qi defensivo es el principal problema, y el qi perverso no es fuerte. Por ejemplo, la tonificación del qi y la nutrición de la sangre, o la tonificación de ambos, puede tratar a un paciente con deficiencia de qi, sangre o ambos.

El método de eliminar el qi perverso es usado sobre todo cuando el qi perverso es abundante y el qi defensivo no es el adecuado. Algunos tratamientos comunes, como inducir sudoración, purgación, eliminar claro, ayudar a la digestión, eliminar fluidos y transformar la estasis, son los tratamientos elegidos según las distintas condiciones de los pacientes.

Tratar la rama y la raíz

La rama y la raíz son dos conceptos interconectados. Explican la relación contradictoria entre los procesos primarios y los secundarios de los cambios de la enfermedad. Cuando se habla del qi defensivo y del qi perverso, el defensivo es la raíz y el perverso, la rama; la causa de la enfermedad está en la raíz y sus síntomas están en la rama, pero en la aparición en el tiempo de las enfermedades, las enfermedades crónicas y principales son la raíz, y las enfermedades recientes y secundarias son la rama.

En casos de emergencia, la rama de la enfermedad debe ser tratada primero; por ejemplo, en hemorragias masivas, las medidas de emergencia deben tomarse con el fin de detener la hemorragia, si se hace de otra manera, las consecuencias podrían ser muy graves. Aunque tratar la rama en un caso de emergencia es una medida conveniente, también es un proceso necesario para tratar la raíz.

En casos menos urgentes, la raíz de la enfermedad debe ser tratada en primer lugar. Si no se trata la raíz, la rama no podrá sanar. Por ejemplo, en un caso no urgente de bronquitis crónica, se debe regular el qi y fortalecer el bazo a fin de eliminar la fuente de generación de la flema.

Durante la enfermedad, cuando las condiciones de la raíz y la rama son serias, se debe tratar ambas simultáneamente a fin de acortar el curso de la enfermedad y mejorar la eficacia del tratamiento. Así, el frío común con deficiencia de qi se trata tonificando el qi y liberando el exterior, de esta manera, tanto la raíz como la rama están siendo tratadas.

Tratamiento conveniente y tratamiento contrario

• Tratamiento conveniente

El tratamiento conveniente se refiere a que los médicos usan prescripciones que son opuestas a la naturaleza de la enfermedad. Esto se llama también terapia de oposición. Se suele utilizar cuando los síntomas son idénticos con su naturaleza. Hay cuatro tipos de tratamientos rutinarios. Los síndromes de frío manifiestan síntomas de frío, por tanto sus medicinas adecuadas serán de naturaleza caliente; los síndromes de calor se manifiestan con síntomas de calor, por lo que sus medicinas adecuadas son de naturaleza fría; los síntomas de deficiencia se manifiestan con síntomas de deficiencia, por lo que sus medicinas adecuadas serán de naturaleza tonificante; y los síndromes de exceso se manifiestan con síntomas de exceso, por lo que su tratamiento adecuado será de naturaleza dispersante.

• Tratamiento contrario

El tratamiento contrario, también llamado terapia inversa, se refiere al método de usar medicinas de la misma naturaleza que la enfermedad. Se usa con frecuencia cuando los síntomas suelen ser una falsa apariencia de las enfermedades de naturaleza verdadera, en especial en casos complicados y serios. A fin de tratar con éxito, los médicos deben ver a través de las falsas apariencias de la enfermedad verdadera. Hay cuatro tipos de tratamientos contrarios. Usar medicinas frías para tratar el síndrome de frío falso, usar medicinas calientes para tratar el síndrome de calor falso, usar medicinas que bloquean para el bloqueo, y usar medicinas tonificantes para la obstrucción.

En una condición de síntomas de calor falso, cuando la naturaleza de la enfermedad verdadera es fría, deben usarse medicinas calientes.

En una condición de síntomas de frío falso, cuando la naturaleza de la enfermedad verdadera es caliente, deben usarse medicinas frías.

En una condición de síntomas de exceso falso, cuando la naturaleza de la enfermedad verdadera es la deficiencia, deben usarse medicinas tonificantes.

En una condición de síntomas de bloqueo falso, cuando la naturaleza de la enfermedad verdadera es exceso, deben usarse medicinas drenantes.

Tratamientos según condiciones distintas

El clima, el medio ambiente local y las diferentes constituciones influyen en la aparición y el desarrollo de las enfermedades. Considerando esto, distintos tratamientos son adecuados para diferentes personas. Un análisis objetivo de la condición del paciente es una condición previa para el tratamiento sobre una base individual.

El clima de las cuatro estaciones puede influenciar en las funciones fisiológicas y los cambios patológicos del cuerpo. El tratamiento de acuerdo a las estaciones supone diseñar un tratamiento según las características de los diferentes climas.

En general, desde la primavera hasta el verano la temperatura cambia gradualmente de cálido a caliente; el yang qi se dispersa y asciende; y los poros están más abiertos y sueltos. Por lo tanto, cuando se trata un síndrome de frío externo durante la primavera y el verano no se debe abusar de las medicinas que son calientes y acres, a fin de evitar un drenaje excesivo y poner en peligro el yin qi. En otoño y en invierno, el tiempo cambia de fresco a frío, y el yin es predominante, mientras que el yang es comparativamente insuficiente, los poros están más fuertemente cerrados, y el yang qi es moderado. Por lo tanto cuando se tratan síndromes de mucho calor durante el otoño y el invierno, las medicinas frías y frescas deben ser usadas de forma cautelosa, a fin de evitar dañar el yang.

Diferentes lugares tienen distintas características topográficas, clima y hábitos de vida, que afectan en la elección de las prescripciones.

Las tierras altas en el noroeste de China son frías y secas, con escasa cantidad de lluvia, y muchas enfermedades tienen características frías y secas, por lo tanto, las medicinas indicadas serán de sabor amargo e hidratantes. Las tierras bajas del sureste de China son calientes y húmedas, con

mucha lluvia, así que muchas enfermedades presentan características de calor y humedad, y por lo tanto las medicinas adecuadas son las que limpian y transforman.

Durante el tratamiento debemos considerar que las personas difieren en edad, sexo, constitución y hábitos de vida.

El qi y la sangre de las personas mayores son deficientes, sus funciones corporales están debilitadas, por lo que los síndromes de deficiencia son muy comunes en ellas. Así, el tratamiento es mediante el refuerzo del qi defensivo, y la dispersión solo se usa de forma cautelosa.

Las funciones del cuerpo de los niños son exuberantes, sus órganos aún están tiernos y delicados, su qi y sangre aún no son totalmente suficientes, por lo que las condiciones para que se desarrolle la enfermedad son fáciles y cambian con rapidez. Así, los síndromes pueden fácilmente trasformarse de la deficiencia al exceso, y del frío al calor, o del exceso a la deficiencia, y del calor al frío. Por lo tanto, mientras se trata con niños, las medicinas fuertes y tónicas deben ser evitadas, y las dosis deben ser bajas.

Los hombres y las mujeres son fisiológicamente diferentes. Las mujeres experimentan la menstruación, la descarga vaginal, el embarazo y el parto. Los médicos deben prestar atención a esas características especiales en la práctica clínica. Las medicinas que son purgantes drásticos, dispersantes de la estasis, resbaladizas, que mueven y actúan en los bloqueos y procesos tóxicos, dañan al feto, están completamente desaconsejadas o deben ser usadas con mucho cuidado en pacientes embarazadas. Las pacientes que tienen loquios o que están en el posparto suelen sufrir de insuficiencia de qi y sangre.

Diferentes personas tienen diferentes constituciones, algunas son más fuertes o más débiles, más frías o más calientes, debido a enfermedades crónicas o a diferentes esencias congénitas y adquiridas. Por lo tanto, diferentes pacientes con la misma enfermedad deben ser tratados según la constitución de cada uno. Por ejemplo, las medicinas tibias o calientes deben ser usadas cuidadosamente con pacientes de constitución yang calor, y las medicinas frescas o frías deben utilizarse con precaución con pacientes de constitución yin frío.

Índice alfabético

R

S

T

U

V

X Y